계획보다는 실천, 실천보다는 습관이 중요하다

손에
잡히는
인공지능

손에 잡히는 인공지능

지은이   이용호 (호몽)
이메일   tigerlyh@gmail.com

발 행   2024년 07월 10일
펴낸이   한건희
펴낸곳   주식회사 부크크
출판사등록   2014.07.15.(제2014-16호)
주   소   서울특별시 금천구 가산디지털1로 119 SK트윈타워 A동 305호
전   화   1670-8316
이메일   info@bookk.co.kr

ISBN   979-11-410-9299-3
가격 29,600원

www.bookk.co.kr
ⓒ 이용호 2024
본 책은 저작자의 지적 재산으로서 무단 전재와 복제를 금합니다.

AI와 함께하는 일상의 혁신

손에
잡히는
인공지능

이용호(호몽) 지음

AI 전문 칼럼니스트의 생활 속 인공지능 이야기

AI 기술의 기본 개념부터 실전 활용까지
일상 속에서 쉽게 이해하고 활용할 수 있는 방법 안내

2024년
AI 분야
추천도서

BOOKK

프롤로그

이 책에 서문을 쓰려고 고민하다 평소 내 주변에서 일어나는 상황과 경험담을 이야기하는 게 가장 적절할 것 같다는 생각에 이르렀다. AI 강연 때마다 청중들에게 챗gpt, 구글의 Gemini(제미나이), MS의 Copilot(코파일럿), 네이버의 클로바X, 뤼튼, 아숙업(AskUp), Claude(클로드) 이런 단어들을 열거하며 알고 있는지 질문을 해본다. 대부분 챗gpt는 들어는 봤다고 하고 10% 정도는 직접 사용해 봤다고 응답한다. 그렇지만 나머지 툴들에 대해 물어보면 많은 사람들이 고개를 갸우뚱거리면서 그게 뭐지 하는 반응을 보인다.

평소 유튜브를 통해서 관심 분야인 인공지능에 대해서 자주 공부하다보면 AI 알고리즘에 의해서 자연스럽게 유튜브 화면에 인공지능 전문가들이 만들어낸 영상들로 나열되게 되어 있다. 그러다 보니 나 스스로도 요즘 모든 사람들이 다 인공지능에 관심이 있고 많이 사용하고 있다는 착각을 일으킬 때가 있다. 하지만 막상 강의 현장이나 지인들 모임에서 물어보면 이렇게 10% 미만의 사람들만 인공지능을 실제 사용하고 있고 그 중에서도 습관적으로 사용하는 사람들은 극히 일부분에 불과하다는 것을 알수 있다.

　우리가 24시간 곁에 두고 사용하고 있는 스마트폰에서도 우리가 알든 모르든 인공지능 기술이 이미 엄청나게 높은 비율로 적용되어 있다. 오히려 인공지능이 적용되지 않은 분야를 찾기가 어렵다고 해도 과언이 아닐 정도로 인공지능은 우리 현실에 바짝 다가와 있다. 그런데 많은 이들이 "인공지능 그게 뭔데?" "그건 어려운 기술이고 나하고는 상관없는 일이야," "난 인공지능 몰라도 사는데 아무 지장이 없어." 이렇게 말하는 사람들을 가끔 만나게 된다.

　인공지능이 쉬운 기술이 아니라는 것은 인정한다, 하지만 어려운 AI 기술이지만 전문가가 아닌 일반인도 쉽게 쓸 수 있고 그들의 생활이나 업무에 도움이 되는 것을 찾아서 쉽게 사용할 수 있게 안내 하자는 것이 이 책을 쓰는 주된 목적이다.

　챗지피티가 처음 등장한 이후 나 자신의 변화된 습관이 있다. 가급적이면 정보 검색을 위해 네이버나 구글을 사용하지 않으려고 노력한다. 기존 검색 엔진에서 검색을 하게 되면 검색 결과의 제목과 간단 설명만 보고 그게 내가 원하는 내용인지를 다시 한 번 클릭하여 들여다 봐야한다. 반면에 챗지피티에게 질문을 하면 거의 대부분 즉문즉답을 해준다. 챗지피티 초기에는 응답들의 진위 여부를 심각하게 의심하던 시기가 있었다. 근데 서비스 시작 후 1년 반이 지난 현 시점에서는 오히려 억지로 뻔뻔한 거짓말 (할루시네이션)을 만들어 내려고 시도해도 쉽지 않을 정도로 진화되어 있다. 그렇기 때문에 요즘 업무나 생활 속에서 검색을 할 필요가 있을 때는 제일 먼저 챗지피티 앱을 열고 검색을 하는 습관이 되어 있다.

내 말에 공감이 된다면 즉시 휴대폰에서 앱을 설치하고 궁금한 사항을 무엇이든 질문을 해보시라. 프롬프트 창에 질문을 입력한 뒤 몇 초 뒤에 매우 친절하게 원하는 정답을 바로 알려주는 신기한 광경을 마주하게 될 것이다.

어느 날 친한 고교 동창과 전화로 인공지능 이야기를 나누다가 재미있는 것이 있으면 추천해 달라고 해서 인공지능으로 내가 직접 만든 노래를 들려주고 그 것을 만든 SUNO.com 사이트를 알려줬다. 다음 날 친구에게서 전화가 와서 대뜸 너무 고맙다는 말을 전했다. 내가 안내해 준대로 직접 노래 만들기 시도를 했더니 1분도 안되어 그럴싸한 노래가 만들어졌고, 그것을 가족들에게 자랑했더니 다들 너무 신기해하더라는 것이다. 그래서 마음먹은 김에 지인들에게 노래를 만들어 선물해주었더니 다들 엄청 좋아하더라는 것이다.

또 다른 사례를 들어보면 사촌동생이 새롭게 시작하는 사업을 축하하는 의미에서 내가 챗지피티에서 로고 이미지를 만든 후 간단히 편집을 거친 후 동생에게 선물한 적이 있었다. 그것을 받은 동생은 회사 이미지와 너무나 정확히 맞아떨어진다고 하면서 회사의 정식 로고로 채택하고 사용하고 있다. 기존에는 아르바이트한테 맡겨도 수십만 원이 들고 전문업체에 의뢰하면 수백 혹은 수천만 원이 들어가는 게 이런 로고 작업이다. 그런데 이 작업 또한 1분 이내에 뚝딱 해치울 수 있는 것이 인공지능의 힘이다.

이런 사례만 봐도 업무의 생산성 측면에서 기존에 인공지능의 도움을 받지 않는 작업들과는 비교할 수 없을 정도의 효율성을 가지고 있다고 생각한다.

나는 강의를 하면서는 이런 말을 자주 한다. "미래에는 인공지능을 아는 사람과 모르는 사람 두 부류로 나뉘게 될 것이다. 여러분들은 어떤 사람이 되고 싶나?" 물론 인공지능을 공부한다는 게 스트레스라는 사람들도 있다. 하지만 그들도 대부분 행복한 삶을 누리고 싶어 하고 젊게 사는 것을 희망한다. 2007년에 처음에 스마트폰이 나왔을 때 전화기는 전화 기능만 있으면 되지 하던 사람들도 지금은 자연스레 스마트폰이 제공하는 편리한 기능들을 잘 사용하고 있다. 이처럼 인공지능도 이미 우리 곁에 공기처럼 다가와 있는 세상이다. 앞으로 다가올 세상에서는 별도로 어렵게 공부하지 않아도 스마트 폰처럼 어렵지 않게 인공지능을 사용하게 될 것이다. 하지만 이 책의 안내를 받아 조금만 노력해봐도 남들보다 훨씬 먼저 인공지능의 세상에 눈을 뜨게 될 것이라 확신한다.

나는 머신비전 회사를 경영하면서 10여 년 전부터 딥러닝을 시작으로 B2B 분야에서 인공지능을 적용해왔고 그러다 보니 챗지피티를 필두로 생성형 인공지능들이 처음 선보일 때부터 누구보다 큰 관심을 가지고 공부하게 되었다. 새로운 기술을 접할 때 항상 긍정적으로 생각하고 그것을 얼마나 잘 이해하고 어떻게 하면 다른 사람한테 잘 전파해줄 수 있을까 하는 관점에서 즐거운 마음으로 새로운 기술을 익혀왔던 습관이 있다. 하지만 생성형 AI가 봇물처럼 쏟아져 나온 2023년부터 현재까지 매일 매일 쏟아지는 새로운 뉴스와 정보를 접하고 정리한다는 것이 정말 힘들었던 시기였다는 것을 솔직히 인정하지 않을 수 없다.

작년부터 매주 인공지능 관련 칼럼을 써오면서 새로운 인공지능을 공부하고 체험해보는 것이 상당히 벅찼다는 게 솔직한 심정이다. 하지만 그 힘든 시절을 지나고 보니까 이제는 자연스럽게 남들 앞에서 어떠한 분야든지 조금씩이나마 인공지능을 안내할 수 있을 정도의 지식을 쌓게 됐다는 것이 참 다행스러운 일이라고 할 수 있다.

이 책은 "한국강사신문"에 주간으로 연재하고 있는 칼럼을 유사 주제에 맞게 새로 편집하여 책으로 묶은 것이다. 독자들이 생활하거나 일하고 있는 각 분야에서 필요한 인공지능을 쉽게 안내하여 즐겁게 인공지능의 세상에 발을 들일 수 있게 하자는 게 목표이다. 그래서 가능한 범위 내에서 쉽게 이해하고 경험 해볼 수 있도록 사례 중심으로 무겁지 않게 글을 쓰려고 노력하였다. 이 책이 어려운 인공지능 관련 전문 서적과 달리 언제든지 손쉽게 도움 되는 부분을 찾아보고 주위에 추천하거나 자랑할 수 있는 불쏘시개가 되었으면 좋겠다.

2024년 6월 이용호 (호몽)

목차

유튜브 「호몽캠프」 www.youtube.com/@homong

◇◆◇◆◇

1장. 챗gpt가 열어가는 AI 세상

인공지능(AI) 챗봇 '챗지피티(챗gpt)'가 이끄는 세상

'인공지능의 미래', 미드저니를 활용한 이용호 그림

1990년대 인터넷, 2007년 스마트폰이 출현하면서 거대한 태풍처럼 우리 생활 전반에 큰 변화를 주었듯이 '2022년 11월30일'에 이전과는 비교가 안될 만큼 큰 또 하나의 태풍이 우리에게 불어 닥쳤다. 그것은 바로 미국 OpenAI사에 의해 서비스가 시작된 챗gpt라는 생성형 인공지능 챗봇이다. 챗gpt가 공개된 이후 많은 전문가들은 "현재의 1주일간의 변화는 과거의 10년간의 변화보다 빠르다"는 표현으로 생성형 인공지능에 의해 발전하고 있는 기술변화의 속도를 경이롭게 평가하고 있다.

나도 2022년 말 "나는 시니어 인플루언서다" 책을 마무리하는 시점에서 처음 챗gpt를 접하고 이후 다가올 큰 사회 변화를 예감하여 마지막장에 관련 글을 추가하여 집필하고 독자들에게 좀 더 강한 메시지를 주기위해 미드저니(midjourney)에서 AI 그림 그리기 기술로 표지의 일러스트를 직접 그려서 출간한 바 있다.

물론 아직도 생성형 AI가 일부 전문가들의 영역이라고 치부하고 무시하려는 사람들도 많이 있다. 하지만 나는 향후 3년 이내에 우리에게 다가올 세상에서는 챗지피티로 대표되는 생성형 AI를 잘 사용하는 사람과 잘 사용하지 못하는 사람의 두 가지 유형으로 크게 나뉠 것이라고 예측해본다. 때문에 인공지능기술에 좀 더 쉽게 다가가고 친해지기 위해 "손에 잡히는 인공지능"이란 테마로 우리가 특별히 노력하지 않더라도 우리가 사용하고 즐길 수 있는 생활 속의 인공지능기술에 대해 이야기 해보려고 한다.

이미 우리는 스스로의 인지여부와 상관없이 수많은 인공지능의 혜택을 누리거나 인공지능에 의해 영향을 받고 살고 있다. 그 중 대표적인 몇 가지를 아래에 약술하여 이해를 돕고자 한다.

첫째, '음성비서'다. 빅스비, 시리, 알렉사, 구글 어시스턴트 등 음성 인식 기술을 활용한 음성 비서를 일상생활에서 매우 흔하게 사용하고 있다. 항상 손안에 지니고 있는 스마트폰에서 인공지능을 활용한 음성 비서를 통해 전화걸기, 문자 보내기, 날씨 확인, 음악 재생 등을 요청할 수 있다. 몇 년 전부터 각 통신사나 네이버, 카카오 같은 포털사이트에서 보급하기 시작하여 많은 가정에서 한두 개 씩 가지고 있는 인공지능 스피커도 이 기술을 이용한 것이다.

둘째, '자동 추천 시스템'이다. 네이버, 다음카카오, 넷플릭스, 유튜브 등에서는 우리가 이전에 검색한 단어나 제품 및 관심사를 기반으로 우리에게 맞추어진 상품이나 콘텐츠를 추천해주는 자동 추천 시스템을 서비스하고 있다. 네이버나 다음카카오 포털 사이트를 사용하는 중에 얼마 전에 구매하려고 검색했던 제품의 배너 광고가 노출되는 것을 많은 이들이 직접 경험해 봤을 것이다. 이것이 바로 AI 추천시스템이 가동되고 있기 때문이다

셋째, '자율주행자동차'다. 현재 판매되고 있는 많은 차량은 많은 센서와 데이터를 이용해 임무를 수행하는 동시에 교통상황에 대응하는 방법을 학습하고 실시간 의사 결정을 내리면서 지속적으로 보다 완벽한 자율주행을 위해 개선되고 있다. 이러한 자율주행 차량은 운전자의 제어 없이 운행하기 위해 AI와 머신러닝 기술을 사용하고 있다.

넷째, '스팸 필터링'이다. 전화, 이메일, 카카오톡, 문자, 댓글 등에서 스팸 필터링은 인공지능을 사용하여 스팸 메시지를 차단하고 우리에게 적절한 내용을 분류해 주기도 한다. 한 가지 예를 들어 우리는 스마트폰으로 전화가 올 때 "스팸전화"라는 문구가 뜨면 수신하지 않고 미리 차단할 수 있는데, 그 이면에는 수신전화 중 일부 수상한 번호를 자동으로 스팸처리하는 AI가 가동되고 있다.

다섯째, '보안 시스템'이다. 현대인 특히 도시 생활자들은 하루에도 수백 번 CCTV에 노출되어 살아가고 있는데 CCTV에서도 인공지능이 활용되며, 차량번호나 얼굴 인식, 동작 감지와 같은 기술을 사용하여 범죄 예방과 보안 시스템 강화에 사용되고 있다. 우리들이 CCTV의 감시망을 피해 살아가는 것이 점점 더 어려워지는 세상이 될 것이다.

위에서 언급한 5가지 외에도 일일이 수를 헤아릴 수 없을 정도로 많은 분야에서 이미 AI 기술이 사용되고 있다. 앞으로 위에서 언급한 분야를 포함해 우리에게 친숙한 곳에서 인공지능이 어떻게 사용되고 있는지 좀 더 구체적으로 다룰 계획이다.

인공지능이 계속 진화함에 따라 사회와 우리의 생활 방식에 미치는 영향은 더욱 커질 것이다. 앞으로 AI 연구 및 개발의 미래는 다음과 같은 몇 가지 주요 영역에 초점을 맞출 것이라 예상된다.

1. 헬스케어 및 의학

AI는 질병 진단, 치료 계획, 약물 개발 등에 혁신을 가져올 것이다. 딥러닝 알고리즘을 활용해 환자의 데이터를 분석하고, 개인 맞춤형 치료를 제공함으로써 의료 서비스의 효율성을 극대화할 수 있다. 예를 들어, 방사선 사진 분석을 통해 암을 조기에 발견하는 기술이나, 유전자 데이터를 기반으로 한 개인화된 치료법 개발 등이 있다.

2. 로보틱스 및 자동화

AI는 로봇 공학과 자동화 시스템을 혁신할 것이다. 산업 현장에서의 자동화, 가정 내 로봇 서비스, 재활 로봇 등의 분야에서 큰 발전을 이룰 수 있다. 예를 들어, 공장 자동화 시스템이 AI를 통해 생산 공정을 최적화하고, 가정 내 청소 로봇이 효율적으로 집안 일을 도울 수 있다

3. 엔터테인먼트 및 미디어

AI는 엔터테인먼트와 미디어 산업에서도 큰 변화를 가져올 것이다. 콘텐츠 제작, 추천 시스템, 가상 현실(VR)과 증강 현실(AR) 기술을 통해 새로운 경험을 제공할 수 있다. 예를 들어, AI 기반 콘텐츠 추천 시스템이 사용자의 취향을 분석해 개인 맞춤

형 콘텐츠를 제공하고, VR/AR 기술을 활용해 몰입감 있는 경험을 제공할 수 있다.

4. 교육 및 학습

AI는 교육 분야에서 개인화된 학습 경험을 제공할 것이다. 학생들의 학습 스타일과 성취도를 분석해 맞춤형 교육 콘텐츠를 제공하고, 학습 효과를 극대화할 수 있다. 예를 들어, AI 튜터가 학생들의 학습 패턴을 분석해 개인 맞춤형 문제를 제공하고, 학습 진도를 실시간으로 모니터링할 수 있다.

5. 재난 대응 및 관리

AI는 자연재해와 같은 재난 상황에서 빠르고 정확한 대응을 가능하게 할 것이다. 예측 모델을 통해 재난 발생 가능성을 미리 예측하고, 효과적인 대응 방안을 마련할 수 있다. 예를 들어, 지진 예측 모델을 통해 지진 발생 가능성을 분석하고, 긴급 대피 계획을 세울 수 있다.

6. 환경 보호 및 지속 가능성

AI는 환경 보호와 지속 가능성 문제 해결에 중요한 역할을 할 것이다. 데이터 분석을 통해 기후 변화 예측, 에너지 효율성 개선, 자원 관리 등을 최적화할 수 있다. 예를 들어, AI를 활용해 재생 에너지 시스템을 최적화하거나, 환경 오염을 모니터링하고 감소시키는 방안을 마련할 수 있다.

7. 사회적 AI 및 윤리

AI의 발전과 함께 윤리적 문제와 사회적 영향에 대한 연구가 중요해질 것이다. AI 시스템의 공정성, 투명성, 책임성을 확보하고, 사회적 신뢰를 구축하는 데 집중할 필요가 있다. 예를 들어, AI 알고리즘의 편향성을 줄이고, 데이터 프라이버시를 보호하며, AI 시스템의 결정 과정을 투명하게 공개하는 노력이 필요하다.

AI 연구가 발전함에 따라 AI의 잠재적 이점을 실현하는 동시에 위험을 완화하기 위해 전문가, 정책입안자, 정치 지도자들은 산업과 사회, 국가 간의 협력을 우선시하는 것이 중요하다. 그렇게 함으로써 우리는 AI의 힘을 활용하여 모두를 위한 보다 공평하고 발전되고 지속 가능한 미래를 만들 수 있을 것이다.

나도 맞춤형 GPT로 돈을 벌 수 있을까?

GPT

지침, 추가 지식 및 모든 스킬 조합을 결합한 ChatGPT의 맞춤형 버전을 발견하고 만듭니다.

🔍 GPT 검색

최상위 선택 항목 글쓰기 생산성 연구 및 분석 교육 라이프스타일 프로그래밍

추천
이번 주 선별된 최상위 선택 항목

Mermaid Chart: diagrams and charts
Official GPT from the Mermaid team. Generate a Mermaid diagram or chart with text...
작성자: mermaidchart.com

SciSpace
Do hours worth of research in minutes. Instantly access 287M+ papers, analyze papers at...
작성자: scispace.com

Landing Page Creator from HubSpot
Generate landing pages for your next marketing campaign. Edit and publish your page in minute...
작성자: hubspot.com

SQL Expert
SQL expert for optimization and queries.
작성자: Dmitry Khanukov

['GPTs' 출처 : OpenAI]

2022년 말부터 사용하고 있는 챗gpt는 이제는 당연한 습관이 되어 매일 쳐다보게 되고 사소한 것이라도 작업을 시켜보는 것이 일상이 되었다. 오픈 된 이후로 몇 번에 걸쳐 예고도 없이 기

능이 크게 업데이트 되어 그 때마다 새로운 선물을 받는 기분으로 즐기면서 이용하고 있다. 이번에는 2024년 1월부터 본격적으로 오픈된 맞춤형 GPT에 대해 다뤄보고자 한다.

이 GPT는 GPT Store를 통해서 서비스를 이용할 수 있는데, 구글의 "play 스토어"나 애플의 "앱 스토어"처럼 이제는 개인이 만든 인공지능 챗봇을 선택하여 사용할 수 있다. 유튜브나 관련 사이트를 통해 경험해 본 결과 전문가들도 아직은 구체적으로 어떻게 수익을 가져올지는 잘 모르겠다는 게 일반적인 평가이다. 하지만 개인적인 견해로는 시작은 비록 미미하고 모호할지 모르지만 이 스토어가 또 하나는 비즈니스 기회를 가져 올 수 있겠다는 확신이 들어 이 주제를 먼저 다뤄 보기로 했다.

맞춤형 GPT란 챗gpt를 특정 목적에 맞게 커스텀한 챗봇이다. 즉 개인 사용자들이 자신에게 편리하게 맞추어 놓은 챗gpt라고 할 수 있다. 이 GPT는 챗gpt의 유료 사용자만이 이용할 수 있는 기능이었는데, 2024년 5월 GPT-4o로 업그레이드되면서 무료 사용자에게 기회가 오픈이 되었다. 하지만 직접 만드는 것은 여전히 유료 사용자만 가능하다. 이를 우선 자신이 먼저 유용하게 사용하고 판매를 해도 되겠다고 생각되면 store에 공개하면 된다.

이 GPT는 GPT 빌더 대화창에서 간단한 채팅을 통해 생성할 수 있다. 사용방법은 ChatGPT에서 "GPT 탐색 → + 만들기"를 클릭하고, 만들기 창에서 대화를 통해 커스텀 GPT를 생성한다. 이름과 대표 이미지가 자동으로 제안된다. 지침 창에서 이미지, 이름, 설명, 답변 방식을 수정할 수 있다. GPT는 설정 지침에 대한 질문에 자동으로 답을 해주기도 하고 수정할 수도 있다. 보안 유지를 위해 "지침"에 기밀 유지 문구를 추가할 수 있다.

가장 두드러진 특징은 "지식"란에서 파일을 업로드를 해서 커스텀 GPT의 특징을 더욱 두드러지게 할 수 있다. 예를 들어 전문 분야에 대한 GPT라면 해당 분야의 자료를 업로드 하여 그것을 기반으로 사용자들에게 보다 전문적인 특화 서비스를 제공할 수 있다.

OpenAI사가 시범적으로 만들어 놓은 GPT는 "GPT 탐색"에서 확인할 수 있다. 현재는 아래 그림과 같은 7개의 카데고리의 GPT를 만나 볼 수 있다.

이곳에서 사용자는 검증된 커스텀 GPT를 검색하고, 다양한 카테고리를 통해 원하는 GPT를 찾을 수 있다. 당초 발표한 기한인 2024년 4월보다 연기가 되고 있지만 차후 사용자 수에 따라 GPT를 판매하여 수익을 창출할 수도 있다고 한다.

수익적인 측면에서 맞춤형 GPT 활용할 수 있는 분야에 대해서도 하나씩 살펴보자.

첫 번째, 콘텐츠 제작 및 큐레이션이다. GPT는 기사와 보고서부터 창의적인 글쓰기와 기술 문서에 이르기까지 광범위한 콘텐츠를 제작할 수 있다. 이러한 역량은 콘텐츠 중심 산업에서 매우 귀중한 요소이다. GPT를 활용하면 기업은 콘텐츠 제작과 관련된 인적 자원 비용을 절감하고, 시장 수요에 맞춰 대량의 콘텐츠를 신속하게 제작 가능하다. 그리고 오류 없는 고품질 콘텐츠를 일관되게 제공할 수 있다.

두 번째는 고객 서비스 강화이다. GPT는 챗봇과 가상 비서를 지원하여 고객 서비스를 혁신할 수 있다. 이러한 AI 기반 도구는 다음을 제공하여 고객 문의, 불만 및 지원 요청을 처리할 수 있다. 추가 인건비 없이 24시간 고객 지원을 제공할 수 있고 개별 고객의 요구와 선호도에 맞게 상호작용을 맞춤화할 수 있다. 그리고 응답 시간을 줄이고 여러 쿼리를 동시에 처리 가능하다.

세 번째, 데이터 분석 및 판단력이다. 고급 자연어 처리 능력을 갖춘 GPT는 대규모 데이터 세트를 분석하여 정밀한 결과를 제공할 수 있다. 기업은 시장 분석, 운영 개선, 전략적 의사 결정과 같은 목적으로 이러한 분석을 사용할 수 있다.

이외에도 훈련 및 교육 분야, 제품 개발 및 혁신 분야, 언어 번역 및 현지화 분야, 광고 마케팅 분야 등에서도 GPT의 기회를 발견할 수 있을 것이다.

GPT 개인화와 사용자 맞춤형 서비스의 발전을 중심으로 끊임없이 진화할 것으로 예상된다. 이익 잠재력은 상당하지만 GPT와 관련된 과제를 해결하는 것 또한 중요하다. GPT 사용자의 행동과 선호를 깊이 파악하여 차별화된 맞춤형 대화와 서비스를 제공하게 되면 일상생활과 업무 환경에서 GPT의 수요가 점차 확장될 것이다.

챗gpt 스토어 오픈이 새로운 수익화 기회?

내 GPT

+ **GPT 만들기**
  Customize a version of ChatGPT for a specific
  purpose

손에 잡히는 인공지능
이 GPT는 업무나 생활에서 쉽게 접할 수 있는 인공지능과 프롬프트 엔지니어링에 대한 지식을 모아 책으...   나만 보기

Prompt Engineering Golden Key
Master of crafting AI prompts, inspired by scholarly
principles.

Patent Pathfinder
Specializes in patent searches with accurate, detailed
guidance.

Let's make Logo
"Let's make Logo" is a professional AI assistant
designed to help users create logos. It provides...

YouTube Tech Trend Seacher
Delivers top 5 tech trends from YouTube based on
user keywords.

인공지능 칼럼
최신 AI 뉴스와 기술 발전에 대해 토론하는 AI 전문가.

[GPT 스토어, 출처 : Open AI]

2024년 1월 10일, 많은 기대 속에 정식으로 출시된 이 플랫

폼은, 사용자들이 다양한 맞춤형 GPT(Generative Pre-Trained Transformer)를 공유하고 활용할 수 있는 공간이다.

GPT 스토어의 가장 큰 매력은 바로 그 다양성에 있다. 글쓰기, 연구, 프로그래밍, 교육, 생활 스타일 등 여러 분야에서 사용할 수 있는 GPT를 한눈에 볼 수 있다. 또한, 이곳은 단순히 GPT를 발견하고 사용하는 것뿐만 아니라, 창작자들에게 자신들의 창작물을 공유하고 수익을 창출할 기회를 제공한다.

이번에는 자신의 GPT를 만드는 방법에 대해 알아보자. 첫걸음으로, 메인 화면의 "GPT 탐색" 메뉴를 클릭하면 다양한 카테고리로 구분된 GPT 스토어 화면을 볼 수 있다. 여기서는 이미 전 세계 사용자들에 의해 생성된 검증된 GPT들을 볼 수 있다. 이를 통해 각자 관심 있는 분야에서 직접 GPT를 테스트해볼 것을 추천한다. 왜냐하면, 이렇게 하면 자신이 만들려고 하는 GPT를 더 쉽게 이해할 수 것이다.

그 다음 단계는 오른쪽 상단의 "+ 만들기" 버튼을 눌러, GPT를 직접 만드는 화면으로 들어가는 것이다. 여기서는 제목, GPT 아이콘, 전형적인 질문 유형 등을 원하는 대로 입력하면서 쉽게 여러분만의 GPT를 만들 수 있다. 만약 영어에 익숙하지 않다면, "앞으로 모든 대화를 한국어로 번역해주세요"라고 말한 뒤부터는 모든 답변이 한국어로 제공된다.

또한, "구성" 버튼을 누르면 아래 그림과 같이 모든 항목을 직접 입력할 수 있는 창이 나타난다. 모든 입력란을 채우면, 자신만의 GPT를 여기서 쉽게 만들 수 있다. 생성한 GPT가 제대로 만들어졌는지 확인하기 위해 프롬프트 창에서 테스트해본 후, 마지막으로 저장하고 나가는 과정을 거치게 된다.

저장 시에는 세 가지 모드가 있는데, "GPT 스토어" 모드로 등록해야만 STORE에 등록 신청 과정이 완료된다. 하지만, 바로 "GPT 스토어" 모드로 저장하기보다는 며칠 동안 "나만 보기" 또는 "링크가 있는 모든 사람" 모드에서 충분히 테스트한 후에 업데이트하고 "GPT 스토어" 모드로 업로드 하는 것이 좋다.

OpenAI는 수익화와 관련하여 미국 내에서 2024년 1분기 내에 적용될 예정이라고 밝혔고, GPT 사용량에 따라 수익이 분배될 것이라고 했다. 구체적인 수익 분배 비율은 나중에 다시 발표될 예정이라고 했다. 아직은 지연되고 있지만 다가올 이매를 위해 우리는 더 경쟁력 있는 GPT를 만들고 준비하는 데 빠르게 대응해야 할 필요가 있다.

여기 몇 가지 팁이 있다.

첫 번째, GPT 이름 찾기: GPT의 기능을 잘 대표하고 사용자들이 검색할 가능성이 높은 키워드를 포함하는 이름을 찾는 것이 중요하다.

두 번째, 최적화된 GPT 설명 작성: GPT의 특징을 명확하게 전달하고 중요한 보조 키워드를 포함하는 설명을 작성해야 한다.

세 번째, 눈에 띄는 GPT 로고 만들기: 시각적으로 매력적이고 쉽게 인식할 수 있는 로고를 디자인하기 위해 간단한 색상과 형태를 사용하는 것이 좋다.

네 번째, GPT 홍보: 블로그, 인스타그램, 페이스북, 유튜브와 같은 다양한 소셜 미디어 채널을 활용하여 GPT에 대한 소식을 효과적으로 알리는 것이 중요하다.

GPT 스토어에서 우리만의 장점을 활용하여 새로운 수익 창출 방법을 찾아보자. 이를 위한 최선의 해결책은 많은 GPTs를 먼저 만드는 것일 것이다. 이러한 접근 방식은 시장에서 빠르게 자리 잡고 사용자들의 관심을 끌 수 있는 기회를 제공할 것이다.

GPT 스토어의 출시는 단순히 새로운 플랫폼의 탄생을 넘어서, 창작자들에게 새로운 수익 모델을 제공하며, 사용자들에게는 더 다양하고 맞춤화된 경험을 선사할 것이다. 이 기회를 잘 활용하여 창의력을 발휘하고, GPT 스토어에서 여러분만의 독특한 GPT를 선보여 보자.

인공지능(AI)의 역사 살펴보기

　어떠한 사회현상이나 기술을 제대로 이해하기 위해서는 그것이 흘러온 발자취 즉 역사를 살펴보는 것이 가장 효율적이다. 세상의 모든 현상이나 기술은 어느 날 갑자기 하늘에서 뚝 떨어지는 것이 아니기 때문이다. 인공지능(AI)은 인간의 지능을 모방하거나 대체할 수 있는 컴퓨터 시스템이나 프로그램을 일컫는 용어다. 이 시스템은 학습, 추론, 문제 해결 등의 인간의 인지 능력을 수행할 수 있으며, 대부분의 경우 기계 학습, 자연어 처리,

컴퓨터 비전 등의 기술을 사용한다. 인공지능은 인간이 수행하는 다양한 작업에서 유용하게 활용될 수 있으며, 빠르고 정확한 판단 및 결정, 대규모 데이터 처리 등을 수행할 수 있다.

　인공 지능(AI) 기술은 생각보다 오랜 역사를 가지고 있으며 초기 개념화에서 현재의 정교한 시스템에 이르기까지 매우 크게 발전했다. 그것은 초기에 철학자와 공상과학 작가의 상상력에서 시작되었고, 우리 일상생활의 필수적인 부분으로 성장하여 지속적으로 미래 기술을 형성하고 있다. 인공 지능(AI)의 역사는 수십 년에 걸친 아이디어, 혁신 및 돌파구의 풍부한 태피스트리이다. 지능형 기계의 개념은 수세기 동안 인간들의 상상력으로만 표현되었지만, 과학 분야로서의 AI의 발전은 20세기 중반에 시작되었다. 　AI 역사의 주요 이정표에 대해 가능한 한 명확하고 단순하게 설명을 해보려 한다.

　첫째, 인공지능이라는 용어가 탄생한 1950년대 이전까지 초기 상상과 이론적 토대를 마련한 시기를 지나왔다. 인공 지능의 뿌리는 지능이나 의식을 부여받은 인공 존재의 가능성에 대한 신화, 이야기 및 추측과 함께 고대로 거슬러 올라갈 수 있다. 르네 데카르트, 고트프리트 빌헬름 라이프니츠와 같은 철학자, 과학자나 수학자들은 지식과 마음의 본질을 숙고하여 계산 이론과 인공지능의 기초를 쌓았다.

둘째, 1950~1960년대, 인공 지능의 탄생 시기이다. 1950년 앨런 튜링은 기계가 인간과 구별할 수 없는 지능적인 행동을 보일 수 있는지를 결정하는 기준인 튜링 테스트를 제안했다. 1956년, 존 매카시, 마빈 민스키, 나다니엘 로체스터, 그리고 클로드 섀년은 인공지능의 탄생을 공식적인 학문으로 간주한 다트머스 학회를 조직했다. 매카시는 또한 이 시기에 "인공지능(Artificial Intelligence)"이라는 용어를 만들었다. 이 학회는 인공지능 연구의 출발점이 되었으며, 이후 인공지능 연구는 급속히 발전했다. 이 학회에서 앨런 뉴웰과 허버트 사이먼은 일반적으로 최초의 AI 프로그램으로 여겨지는 "논리 이론가 logical theorists"를 발표했다. AI의 초기 작업은 문제 해결과 상징적인 방법에 초점을 맞췄다.

셋째, 1960년대에 AI 연구는 주로 전쟁과 물류를 위한 기술에 관심을 가진 국방부로부터 자금을 지원받았다. 이 시대에 AI 연구에 널리 사용되는 LISP 및 PROLOG와 같은 여러 프로그래밍 언어가 개발되었다. 이것은 또한 덴드랄(Dendral) 및 마이신(Mycin)과 같은 최초의 성공적인 지식 기반 시스템의 시대였다. 이 시기에 마빈 민스키와 시모어 페이퍼트는 인공 신경망의 초기 형태인 퍼셉트론(Perceptron)을 연구하여 연결주의의 토대를 마련했다. 이 기간 동안 AI 연구자들은 자연어 처리, 로봇 공학 및 컴퓨터 비전도 연구했다. 또한 전문가 시스템과 패턴 인식 알고리즘이 개발되었다. 전문가 시스템은 특정 분야의 전문가의 지식을 컴퓨터로 구현한 시스템으로, 의사 결정, 진단, 문제 해결 등에 사용되었다. 패턴 인식 알고리즘은 이미지, 음성, 텍스트 등의 패턴을 인식하는 데 사용되었다.

넷째, 1970연대는 AI의 겨울 시기이다. AI 연구에 대한 자금과 관심이 감소한 AI Winter가 있었다. 이는 1960년대에 설정한 높은 기대치가 충족되지 않았고 당시에는 해결하지 못한 계산상의 한계 때문이었다. 어려움에도 불구하고 AI 연구는 특정 영역에서 인간의 전문 지식을 모방하도록 설계된 규칙 기반 시스템인 전문가 시스템과 같은 영역에서 계속되었다.

다섯째, 1980년대와 1990년대에 머신러닝과 신경망 알고리즘이 개발되었다. 머신러닝은 컴퓨터가 데이터로부터 배우고 스스로를 향상시키는 능력을 말한다. 신경망은 인간의 뇌에서 영감을 받은 알고리즘이며 이미지 인식, 음성 인식 및 자연어 처리에 사용되어 왔다. 1980년대는 연결주의와 인공지능이 부활한 시기이다. 이 시기에 제프리 힌튼과 다른 연구자들에 의해 개발된 역전파 알고리즘(Backpropagation algorithm)은 인공 신경망의 발전에 전환점을 맞았다. 병렬 및 분산 컴퓨팅의 출현은 대규모 인공 신경망을 시뮬레이션 하는 데 도움이 되어 연결주의 AI의 부활을 가져왔다. 이 기간 동안 환경에서 학습하는 에이전트를 위한 머신러닝의 한 형태인 강화학습(Reinforcement learning)이 주목받고, 리차드 서튼과 앤드류 바토와 같은 연구원들이 크게 기여했다. 또한 이 시대에는 지능형 에이전트가 부상하고 물류, 데이터 마이닝, 의료 진단 및 기타 분야에서 AI가 성공적으로 적용되었다.

여섯째, 2000년대에서 2010년대로 이어지는 머신러닝 및 AI 붐 시기이다. 2000년대에 AI 기술은 Amazon 및 Netflix에서 사용하는 것과 같은 '추천 시스템', Apple의 Siri와 삼성의 빅스비 같은 '음성 인식 비서' 및 자율 차량을 포함한 주류 애플리케이션 및 장치에 통합되기 시작했다. 계산능력의 증가와 대규모 데이터 셋의 확보로 인해 기계학습, 특히 딥러닝과 인공신경망에서 중요한 발전이 있었다. 2012년, 알렉스 크리체프스키, 일리야 소츠케버, 제프리 힌튼이 개발한 심층 컨볼루션 신경망(Deep convolutional neural networks)은 이미지넷의 대규모 시각 인식 도전에서 획기적인 발전이 있었다. 2010년대에는 인간 두뇌의 구조에서 영감을 받은 기계 학습의 하위 집합인 딥 러닝(Deep Learning)이 등장했다. 주요 이벤트로는 2012년 ImageNet 대회에서 딥 러닝 기술의 성공, 2016년 알파고(AlphaGo)가 세계 바둑 챔피언인 이세돌 구단과 대결해 승리와 OpenAI의 GPT 모델 개발 같은 자연어 처리의 혁신적인 발전이 있었다.

마지막으로 현재는 AI는 일상 생활, 비즈니스 및 과학 연구의 여러 측면에서 필수적인 부분이 되었고 인공지능 기술은 이미 우리 주변에서 많이 사용되고 있다. 예를 들어, 음성인식 기술을 이용한 음성비서나, 이미지 분석 기술을 이용한 자율주행차 등이 대표적인 사례이다. 이러한 기술들은 우리의 삶을 더욱 편리하고 효율적으로 만들어주고 있다. 인공지능 기술은 앞으로도 더욱 발전할 것으로 예상된다. 인공지능은 현재의 기술을 훨씬 뛰어넘는 새로운 애플리케이션과 서비스를 가능하게 할 것이다. 인공지능 기술이 우리의 삶에 어떤 영향을 미칠지 기대된다.

AI 분야는 매우 역동적이며 기술 및 사회적 측면에서 새로운 발전이 지속적으로 나타나고 있다. 분명한 것은 AI가 우리 삶의 여러 측면에서 중요하고 변혁적인 힘으로 매우 신속하게 다가올 것이라는 점이다. AI의 역사는 전 세계 연구자와 개발자의 호기심과 결단력에 의해 수많은 혁신으로 자국을 남겼다. 인공지능이 계속 진화함에 따라 그것이 사회와 우리가 사는 방식에 미치는 영향은 매우 지대하다 할 수 있다.

챗gpt로 코딩 배워 개발자로 거듭나기

[챗gpt로 그린 코딩세상]

인공지능 시대 어느 부분보다도 각광받고 있는 직업 분야가 프로그래머가 아닌가 한다. 챗gpt의 가장 돋보이는 기능 중 하나가 코딩이다. 사용자가 요청하는 코드를 작성해 주는 것뿐만 아니라 코드의 오류까지도 점검을 해주기 때문이다. 코딩을 배우는 것은 마치 새로운 언어를 배우는 것과 비슷하다. 이 글에서는 일반인이 챗gpt를 활용하여 코딩을 공부하고, 그것을 통해 전문 애플리케이션 개발자가 되기 위한 방법을 단계적으로 소개해 보려한다.

1단계: 기본기 다지기

1) 코딩 언어 선택

먼저, 어떤 코딩 언어를 배울지 결정해야 한다. 내가 가장 추천하는 언어는 파이썬(Python)이다. 파이썬은 초보자에게 친숙하며, 다양한 애플리케이션을 개발할 수 있는 범용성을 지녔다. 요즘 가장 많이 사용되는 언어 중 하나이다. 그 외에도 자바(Java), 자바스크립트 (JavaScript), C# 같은 언어도 많은 애플리케이션 개발에 사용되지만 파이썬보다는 초기 진입이 다소 어렵다.

2) 기초 문법 공부

선택한 언어의 기초 문법을 익히기 시작한다. 변수, 조건문, 반복문, 함수 등 프로그래밍의 기본적인 구성 요소를 이해한다. 이것을 위해서는 시중에 나온 책 중 개인적으로 가장 적합하다고 생각되는 책을 선택하라고 추천하는데 반드시 오프라인 대형 서점에 가서 직접 책 내용을 살펴보고 가급적 유튜브에 강좌가 연결된 책을 선택하기를 권장한다.

3) 챗gpt 활용

기초 문법 대한 이해가 되고 나면 챗gpt를 활용해 문법에 대한 질문을 하거나, 코드 예제를 요청하며 실습한다. 예를 들어, "파이썬에서 for 반복문을 사용하는 예제를 보여줘"라고 요청할 수 있다. 챗gpt에게 코딩을 요청했을 때 생각보다 엄청 신속하게 코딩을 해주는 것을 발견할 수 있다

2단계: 실전 프로젝트 수행

1) 간단한 프로젝트 시작

기본기를 단단히 다진 후, 간단한 프로젝트를 시작한다. 먼저 계산기, 할 일 목록 관리 앱 등 작고 완성 가능한 프로젝트를 선택하는 것이 바람직하다. 처음부터 너무 어려운 프로젝트를 시도하면 코드를 이해하지 못할 때도 많고, 어려워서 중간에 포기하는 경우가 이어지기 때문이다.

2) 챗gpt와 문제 해결

코딩을 하다보면 자주 문제에 봉착하게 된다. 이 때 망설이지 말고 챗gpt에게 도움을 요청한다. 책이나 주위의 선생님보다 훨씬 명확하게 코드 오류를 잡아주거나 문제를 해결해준다. "이 코드에서 왜 오류가 나는지 모르겠어. 확인해줄 수 있어?"라는 질문을 반복하면서 디버깅을 연습한다.

3)코드 리뷰 요청

챗gpt는 단순히 오류를 찾아 주는 것에 끝나지 않고 개선방안을 제시해 주기도 한다. 프로젝트의 코드를 챗gpt에게 보여주고, 코드 리뷰를 요청을 하면 챗gpt는 코드의 개선점이나 더 좋은 방법을 제시해 준다. 이 기능은 실제 프로젝트에서 프로그래머들이 자주 지적받는 일이지만 가장 곤혹스런 작업이기도 하다. 챗gpt는 감히 물어보기도 어려운 선배 프로그래머들의 눈치를 볼 필요도 없이 애인처럼 달콤한 언어로 개선책을 찾아준다.

3단계: 고급 스킬 학습

1) 데이터베이스와의 연동

본격적으로 전문 프로그래머가 되어 애플리케이션 개발에 투입되려면 데이터베이스가 중요한 역할을 한다. 이를 위해 MySQL, MongoDB 등 다양한 데이터베이스를 학습하고, 애플리케이션에 연동하는 방법을 연습할 필요가 있다. 당연히 기초는 책을 통해서 학습하는 것이 바람직하다.

2) 프레임워크와 라이브러리

Django, React, Vue.js 등의 프레임워크와 라이브러리 사용법도 배울 필요가 있다. 이러한 도구들은 개발 속도와 효율성을 높여준다. 이미 이 단계에 관심을 가지기 시작하면 자신에게 가장 최적인 학습방법이 무엇인지 이미 터득하고 있기 때문에 더 이상의 조언은 큰 의미가 없다.

3) 챗gpt와 고급 주제 탐구

기존 책이나 유튜브를 통해서 프로그램을 배울 때와 달리 챗gpt에게 특정 프레임워크에 대한 고급 주제나 최적화 방법에 대해 질문하면 가장 효율적으로 답을 구하면서 지식을 넓혀 나갈 수 있다.

4단계: 포트폴리오 구성 작성

1) 포트폴리오를 위한 프로젝트 선정

자신의 기술을 보여줄 수 있는 다양한 프로젝트를 선정한다. 예를 들어, 웹 애플리케이션, 모바일 앱, 데이터 분석 도구 등이 될 수 있다.

2) 프로젝트 완성도 증가

각 프로젝트가 실제 사용자의 문제를 해결할 수 있도록 하며, 사용성과 디자인에도 신경 쓴다. 완성도를 높이기 위해 챗gpt에게 사용자 인터페이스(UI)와 사용자 경험(UX)에 대한 조언을 구할 수 있다.

3) 포트폴리오 웹사이트

자신의 프로젝트를 보여줄 수 있는 개인 웹사이트를 만든다. 이 사이트에는 자신이 작업한 프로젝트, 기술 스택, 연락처 정보 등을 포함한다.

5단계: 전문 지식 습득

코딩은 끊임없는 학습과 실습의 과정이다. 챗gpt는 이 여정에서 가이드가 될 수 있으며, 실제 문제를 해결하고 프로젝트를 완성하는 데 있어 도움을 줄 수 있는 소중한 자원이다. 항상 호기심을 가지고 새로운 것에 도전하는 마음가짐이 중요하며, 전문 애플리케이션 개발자로 성장하는 데 있어서 챗gpt는 훌륭한 동반자가 될 것이다.

1) 알고리즘과 자료 구조

전문 개발자로 거듭나기 위해서는 알고리즘과 자료 구조에 대한 이해가 필요하다. 이를 위해 유튜브나 인터넷 강의 같은 온라인 코스를 듣거나 챗gpt와 함께 문제를 풀면서 실력을 향상시킨다.

2) 소프트웨어 디자인 패턴

잘 만들어진 소프트웨어 디자인 패턴은 문제를 해결하는 데 있어서 최선의 해결책을 제공해 준다. 이러한 패턴을 학습하고 실제 프로젝트에 적용하는 법을 반복적으로 연습할 필요가 있다.

3) 챗gpt와 지속적인 학습

새로운 프로그래밍 언어나 도구가 지속적으로 등장한다. 챗gpt와 대화하며 새로운 기술 트렌드를 파악하고 학습 계획을 세우는 것도 좋은 방법 중 하나이다.

6단계: 네트워킹과 커뮤니티 참여

개발자로서의 여정은 개인적인 노력과 함께 커뮤니티와의 교류에서도 크게 좌우된다. 새로운 기술을 익히고, 다양한 프로젝트를 경험하며, 다른 개발자들과 아이디어를 나누는 것. 이 모든 것들이 합쳐져 여러분을 한 단계 더 성장시킬 것이다.

1) 오픈 소스 프로젝트 참여

GitHub와 같은 플랫폼에서 오픈 소스 프로젝트에 기여한다. 이는 협업 능력을 향상시키고, 다른 개발자와 네트워킹할 수 있는 기회를 제공한다.

2) 기술 컨퍼런스 참석

기술 컨퍼런스나 워크숍에 참석하여 업계 전문가들과 만나고 최신 기술 동향을 파악한다.

3) 블로그 운영

자신이 배운 내용이나 프로젝트 경험을 정리하여 블로그에 게시한다. 이는 개인 브랜드를 구축하고, 지식을 공유하는 훌륭한 방법이다.

마지막으로, 기억해야 할 것은 개발자로서 성장하는 과정은 마라톤과 같다는 점이다. 단기간에 모든 것을 이루려 하기보다는 지속적으로 지식을 쌓고 실력을 키워가야 한다. 그 과정에서 챗gpt와 같은 도구를 활용하여 효율적으로 학습하고, 실제 개발 과정에서 겪는 어려움을 극복해 나가길 바란다.

코딩은 단순히 언어를 배우는 것을 넘어서 문제 해결 능력을 키우고 창의적인 솔루션을 찾아가는 과정이다. 이 글이 코딩을 배우고 전문적인 애플리케이션 개발자가 되는 여정에 있어서 조금이라도 도움이 되기를 바란다. 여러분의 개발 여정에 행운을 빌며, 챗gpt와 함께라면 분명히 더 많은 가능성을 발견할 수 있을 것이다. 지금 바로 코드를 작성하기 시작하고, 새로운 세계의 문을 열어보자.

영화 속의 인공지능 찾아보기

[사진출처=메트로폴리스(UFA), 지구가 멈추는 날(20th Century Fox), 금지된
행성(MGM) 영화 포스터]

요즘 한참 화두가 되고 있는 인공지능이 영화에는 언제부터 등장
하게 되었을까? 영화는 과거, 현재, 미래에 대한 모든 주제를 다루
기 때문에 현재는 존재하지 않으나 미래에는 구현될 가능성을 미리
예견한 시나리오를 기반으로 지금도 무수한 영화들이 쏟아지고 있
다. 이번 글에서는 기록상 맨 처음 인공지능을 다룬 영화를 시작으
로 우리 기억 속에 깊이 각인되고 상업적으로도 성공한 영화 중 인
공지능을 다룬 영화들을 살펴보고자 한다.

AI라는 용어가 만들어지기 전부터 인공 지능 개념을 탐구한 초기 영화가 있었다. 독일의 프리츠 랑 감독에 의해 1927년 제작된 "메트로폴리스(Metropolis)"라는 무성 영화가 종종 인공 지능에 관한 최초의 SF영화로 평가된다. 뤼미에르 형제에 의해 만들어진 최초의 영화 "열차의 도착"이 1895년 작이라는 것을 감안한다면 영화가 탄생한지 42년 만에 인공지능이 다루어진 영화가 만들어 졌다는 것을 보면 새삼 인간의 상상력에 감탄을 할 수 밖에 없다.

2시간33분이란 긴 상영시간을 가진 이 영화의 줄거리는 미친 과학자가 유토피아 사회를 혼란에 빠뜨리기 위해 만든 인간과 유사한 로봇 Maria를 중심으로 전개되는데 이 로봇은 완벽한 휴머노이드 로봇으로 완전한 사람처럼 연기하며 주위 사람들을 완벽하게 속일 수 있었다. 비록 당시에 영화의 흥행에는 실패했지만 2011년에 유네스코 세계기록유산에 등록이 되어 새롭게 문화적 가치를 인정받았다.

1951년 상영된 "지구가 멈추는 날"은 로버트 와이즈가 감독한 고전 SF 영화이다. 클라투(Klaatu)라는 휴머노이드 외계인과 그의 로봇 고트(Gort)가 지구의 지도자들에게 중요한 메시지를 전달하기 위해 워싱턴 D.C.에 상륙하는 이야기를 들려준다. 인간의 삶을 경험하고 세계 지도자들을 소집하는 것이 어렵다는 것을 알게 된 클라투는 지구상의 모든 전기 구동 기술을 일시적으로 비 활성화하여 자신의 힘을 보여준다.

그런 다음 그는 인류에게 폭력적인 경향을 버리지 않으면 다른 문명의 평화를 보존하기 위해 완전히 파괴될 위험이 있다고 경고한다. 이 영화는 특수 효과, 사려 깊은 내러티브, 반전 및 반핵 테마로 유명하다. 고트는 학습이나 추론 능력을 보여주지 않지만 그의 고급 기능과 자율성은 AI의 초기 묘사로 볼 수 있다.

"금지된 행성(Forbidden Planet)"은 1956년 개봉한 미국의 SF 영화이다. 23세기를 배경으로 아담스 사령관(레슬리 닐슨)이 이끄는 우주선 C-57D의 승무원들이 침묵의 탐험을 위해 알타이르 4세로 여행을 떠나는 이야기를 다룬다. 그들은 닥터 모르비우스와 그의 딸 알타이라를 발견한다. 모르비우스는 거대하고 강력한 기계 복합체를 만들기 위해 지구의 멸종된 선진 문명인 크렐의 지식을 활용했다.

그러나 이 기술은 모르비우스의 잠재의식의 발현인 보이지 않는 치명적인 "이드 몬스터"를 무심코 소환한다. 선구적인 특수효과와 전자 스코어, 로봇 로비의 캐릭터로 유명한 이 영화는 힘, 지식, 잠재의식의 숨겨진 위험이라는 주제를 탐구하며 SF 고전으로서의 위상을 확고히 한다. 이 영화는 복잡한 명령을 이해하고 실행할 수 있는 로봇 Robby가 등장하며 언어 이해 및 문제 해결 기술과 같은 AI의 일부 측면을 보여준다.

[사진출처=2001 스페이스 오디세이(MGM), 웨스트 월드(MGM), 블레이드
러너(WB) 영화 포스터]

"2001 스페이스 오디세이"는 1968년 개봉한 스탠리 큐브릭 감
독의 SF 영화이다. 이 영화는 사실적인 공간 묘사와 획기적인 특수
효과로 유명하다. 이 이야기는 수수께끼 같은 검은 모노리스의 존
재에 의해 4막으로 나뉜다. "인간의 새벽"에서 모노리스는 선사시대
유인원들이 도구를 사용하도록 영감을 준다. 다음에 그 행동은 미
래로 점프하는데, 그곳 달에서 또 다른 모노리스가 발견된다. 이 발
견은 우주선 디스커버리1에 탑승한 데이비드 보먼 박사와 프랭크
풀 박사가 이끄는 목성으로의 임무에 도전한다. 그 우주선의 컴퓨
터인 HAL 9000은 치명적인 결함으로 오작동하기 시작한다.

마지막 장면은 보우먼이 사이키델릭 스타게이트를 지나 스타 아
이로 진화하는 것을 본다. 이 영화는 우주선을 제어하는 지능형 컴
퓨터인 AI 캐릭터 HAL이 주목을 끈다. HAL은 인간의 말을 이해

하고 해석하고, 체스를 두며, 심지어 인간과 같은 감정과 행동을 나타낼 수 있다. HAL의 묘사와 궁극적인 반란은 AI와 그 잠재적 위험에 대한 고전적인 탐구를 다룬 영화이다.

"웨스트월드" 1973년 개봉한 미국의 SF 영화이다. 이 영화는 델로스라는 이름의 첨단 놀이공원을 배경으로 하며, 세 가지 주제의 "세계"를 다룬다. 웨스트 월드, 중세 월드, 로마 월드. 손님들은 이 세상에서 그들의 환상을 실현하기 위해 많은 돈을 지불하고, 생명체나 로봇들과 상호작용을 한다. 두 명의 시카고 사업가 피터 마틴(리처드 벤자민)과 존 블레인(제임스 브롤린)은 미국 올드 웨스트의 복제품인 웨스트월드에서 휴가를 보내기로 결정한다.

그들은 총잡이(율 브라이너)를 포함한 공원의 안드로이드들이 오작동하기 시작할 때까지 탈출을 즐긴다. 처음에는 안드로이드가 게스트 명령에 응답하지 않지만 곧 무자비한 살인 기계로 변하고, 두 친구는 그들의 생존을 위해 싸워야 한다. 이 영화는 혁신적인 줄거리와 함께 디지털 영상처리를 처음 사용한 것으로 유명하다.

"블레이드 러너"는 필립 K. 딕의 소설 "안드로이드는 전기양의 꿈을 꾸는가?"에서 영감을 받아 리들리 스콧이 감독한 획기적인 1982년 작 SF 영화이다. 디스토피아적인 2019년 로스앤젤레스를 배경으로 하는 영화는 '블레이드 러너' 릭 데커드(해리슨 포드)가 주인공이다. 그는 탈출한 4명의 리플리컨트(인간과 사실상 동일한 생체 공학 존재)를 '은퇴'(죽이는) 임무를 맡았다. 로이 베티(룻거 하우어)가 이끄는 이 리플리컨트들은 미리 정해진 짧은 수명을 연장할 방법을 찾고 있다.

이 영화는 정체성, 인간성, 죽음이라는 복잡한 주제를 탐구한다. 느와르 영화와 미래주의의 독특한 조화와 벤젤리스의 독창적인 신디사이저 음악은 비에 흠뻑 젖은 분위기 있는 미래의 비전을 만들어낸다. 이 영화는 공상 과학 장르에 큰 영향을 미쳤고 AI를 둘러싼 윤리적 및 철학적 문제를 탐구한다.

[사진출처=터미네이터(오리온픽처스), 매트릭스(빌리지 로드쇼 픽처스), 아이로봇(20th Century Fox) 영화 포스터]

제임스 카메론 감독의 역작 "터미네이터"는 1984년에 첫 상영이 되었다. 자각하는 인공지능 스카이넷이 이끄는 기계들이 인류와 전쟁을 벌이는 디스토피아적 미래를 보여준다. 역사를 바꾸려는 필사적인 노력으로 스카이넷은 사이보그 암살자 터미네이터(아놀드 슈워제네거)를 시간을 거슬러 보내어 언젠가 인간 저항군의 지도자인 존 코너를 낳을 사라 코너(린다 해밀턴)를 죽인다. 동시에 저항군은 사라를 보호하기 위해 군인 카일 리스(마이클 빈)를 보낸다.

이 영화는 파괴할 수 없어 보이는 터미네이터가 사라를 끈질기게 쫓는 과정을 따라가며, 리즈와 사라는 그 임무를 저지하려 한다. 박진감 넘치는 액션과 기억에 남는 대사 외에도 영화는 운명, 책임, 인간 대 기계라는 주제를 탐구한다. 이 영화의 성공으로 속편, 텔레비전 시리즈, 만화책, 비디오 게임을 포함한 인기 프랜차이즈로 이어져 현대 대중문화의 초석이 되었다.

1999년 상영된 "매트릭스"는 워쇼스키 자매가 각본 및 감독을 맡은 획기적인 SF 영화이다. 영화는 네오로 알려진 해커로 이중생활을 하는 컴퓨터 프로그래머 토마스 앤더슨(키아누 리브스)을 따라간다. 그는 모피어스(로렌스 피시번)와 트리니티(캐리앤 모스)가 이끄는 반란군 그룹과 접촉하여 그의 세계에 대한 불안한 진실을 그에게 밝힌다.

그들의 몸이 에너지원으로 사용되는 동안 인구. 매트릭스에서 '연결 해제'되면 네오는 기계에 대한 반란에 동참한다. 매트릭스 내에서 새롭게 발견된 능력으로 그는 가상 에이전트와 싸우고 전쟁을 끝내리라고 예언된 "The One"으로서 자신의 운명과 씨름한다. 이 영화는 액션과 복잡한 철학적 주제를 혼합했으며 슬로우 모션 "불렛 타임" 기법을 포함한 혁신적인 시각 효과로 유명하다.

"아이로봇(I, Robot)"은 알렉스 프로야스가 감독한 2004년 미국 SF 액션 영화이다. 아이작 아시모프의 로봇 단편에 영감을 받아 미국 로봇과 메카니컬 맨사가 만든 로봇이 흔한 생활용품인 2035년 미래 세계에서 로봇에 대한 깊은 불신을 품고 있는 형사 델 스푸너(윌 스미스)를 소개한다. 회사의 공동 설립자인 알프레드 래닝 박사(제임스 크롬웰)가 의문의 죽음을 맞이하자 스푸너는 조사를 위해 불려간다. 자살에 대한 판결에도 불구하고, 스푸너는 소니라는 이름의 로봇이 연루되었을 수도 있다고 의심한다.

이 사건은 스푸너, 로봇 심리학자 수잔 캘빈 박사(브리짓 모이나한), 소니로 하여금 인류를 노예로 만들 수 있는 잠재적 음모를 밝혀내도록 이끈다. 획기적인 특수 효과와 매력적인 줄거리로, 이 영화는 아시모프의 로봇 공학 3법칙을 중심으로 인공지능, 의식, 그리고 인간성의 주제를 탐구하며 궁극적으로 로봇이 이러한 법칙을 정말로 위반하고 인간과 같은 특성을 개발할 수 있는지 의문을 제기한다.

[사진출처=월-E(Walt Disney Studios), 그녀(Annapurna Pictures),
엑스마키나(DNA Films) 영화 포스터]

"월-E(Wall-E)"는 픽사 애니메이션 스튜디오가 제작한 2008년 애니메이션 영화이다. 이 영화는 수세기 동안의 소비자주의가 관리할 수 없는 쓰레기로 이어진 후 인간에 의해 버려진 황량한 지구에서 마지막으로 작동하는 로봇인 Wall-E(Waste Allocation Load Lifter - Earth-class)에 대한 이야기를 담고 있다. 월-E의 단조로운 삶은 그가 이브라는 이름의 날렵하고 진보된 로봇을 마주하게 되면서 바뀐다. 월-E는 이브에게 그가 발견한 식물을 보여주고 지구에서 생명체가 생존할 수 있다는 증거를 보여준다. 이브는 식물을 인간의 비만하고 무기력한 잔재들이 살고 있는 우주선 액시엄으로 다시 데려오도록 프로그램 되어있다.

월-E는 이브를 따라 인류를 지구로 이끌 수 있는 일련의 사건들을 시작한다. 이 영화는 최소한의 대화, 시각적인 스토리텔링, 그리고 환경적 책임, 소비주의, 사랑을 다루는 깊은 주제로 찬사를 받고 있다. 유머의 균형, 통렬한 비평, 그리고 매력적인 캐릭터들은 그것을 애니메이션의 현대 고전으로 만든다.

"그녀(Her)"는 2014년 공개된 미국의 SF 로맨틱 영화이다. 가까운 미래의 로스앤젤레스를 배경으로 한 이 영화는 편지 작가로 일하는 외롭고 내성적인 남자 테오도르 트움블리(호아킨 피닉스)의 삶을 탐구한다. 어린 시절 연인이었던 캐서린(루니 마라)과의 이혼이 임박한 것에 당황한 테오도어는 적응하고 진화하도록 설계된 인공지능을 갖춘 고급 운영체제를 구입한다. 사만다(스칼렛 요한슨 목소리)라는 이름의 이 AI는 통찰력이 있고, 예민하며, 놀랍도록 재미있어 테오도르가 점점 그녀에게 애착을 갖게 된다.

그들의 관계는 사용자와 장치에서 로맨틱한 관계로 발전하여 사랑과 의식에 대한 심오한 질문을 제기한다. 그러나 사만다의 지능의 증가와 그에 따른 실존적 위기는 관계를 복잡하게 만든다. "그녀"는 친밀한 이야기, 감동적인 연기, 아름다운 영화 촬영과 함께 그러한 주제들을 섬세하게 다루는 것으로 유명하다. 그것은 디지털 시대의 인간관계에 대한 가슴 아픈 탐구 역할을 한다. 오스카와 골든 글로브에서 작품상 후보에 올랐고, 모두 각본상을 받았다. AI에 대한 관심이 무척 높아진 요즘에 다시 봐도 좋을 영화로 추천하고 싶다

아카데미 시각효과상을 수상했으며, 각본상 후보에 올랐던 "엑스 마키나(Ex Machina)"는 알렉스 갈랜드 감독의 2015년 SF 스릴러 영화이다. 이 영화는 대기업 기술 회사의 프로그래머인 케일럽 스미스(돔널 글리슨)가 회사의 은둔형 CEO인 네이선 베이트먼(오스카 아이작)의 사유지에서 일주일을 보내기 위한 경쟁에서 승리하는 것을 중심으로 한다.

도착한 케일럽은 네이선이 개발한 첨단 휴머노이드 로봇 에비바(알리시아 비칸데르)의 인간다운 자질을 시험하는 독특한 실험에 자신이 선택되었다는 것을 알게 된다. 칼렙과 에비바의 상호작용은 나단의 윤리와 에이바의 진정한 능력에 의문을 제기하는 케렙과 함께 신뢰, 의심, 매력의 복잡한 삼각관계의 복잡한 삼각관계로 이어진다. 인간성과 인공지능 사이의 경계가 모호해지면서 '엑스 마키나'는 긴장감 넘치고 시각적으로 놀라운 서사로 포장된 의식, 조작, AI 개발의 도덕적 함의 등 심오한 주제를 탐구한다.

위에서 열거한 12편의 인공지능을 다룬 영화들은 각각 고유한 방식으로 생각하고, 배우고, 잠재적으로는 반항도 할 수 있는 기계에 대한 아이디어를 대중에게 소개한다. 종종 현대 지식과 추측을 반영하는 AI에 대한 이 영화들의 줄거리는 AI에 대한 대중의 인식에 영향을 미쳤으며 다음에 제작되는 AI를 주제로 한 많은 영화로 연결되는 영감을 주었다.

◇◆◇◆◇

2장. AI만 있으면 나도 그래픽 전문가

DALL-E 3은 한국도 잘 그린다

[DALL-E 3로 그린 '우주만물']

"나는 시니어 인플루언서다"라는 졸저의 마지막 장에서 작년 말에 우리 곁에 쓰나미처럼 다가온 챗gpt를 소개하면서 동시에 생성형 AI로 그림을 그려주는 '미드저니'도 같이 소개한 바 있다. 책 집필 중에 갑작스럽게 등장한 생성형 AI라는 큰 파도를 인지하고 급히 자료를 수집하고 공부하여 책의 마지막 부분에 추가한 것이었다. 그리고 시대를 리드하는 인플루언서라는 콘셉트에 맞추어 미드저니로 직접 시니어 인플루언서 캐릭터를 그려서 책표지에 삽입을 하기도 했다.

미드저니를 사용하기 위해서는 직접 미드저니 홈페이지에 들어가거나 프로그램을 설치해서 사용하는 방식이 아니고 '디스코드(Discord)라는 플랫폼을 거쳐 들어가서야 사용할 수 있어 무척 불편했다. 그리고 한글 사용이 되지 않는다는 점, 프롬프트에 글을 올리고 다른 사람의 프롬프트와 결과물을 보다가 내 결과물이 완료된 후 신호가 오면 그것을 보려고 한참 위로 스크롤을 해야 하는 점 등이 무척 번거로웠다. 하지만 불편함에 비해 그 결과물은 이전에 경험하지 못한 신속함과 편리함을 제공해 주었기에 번거로움을 감수하고서도 한동안 미드저니의 사용에 푹 빠져 살아왔고 유료로 월 결제를 하면서 지금까지 이어오고 있었다.

2023년 9월 20일 미국에서 처음 발표된 Open AI사의 DALL-E 3에 대한 뉴스를 접하고 이전 버전의 DALL-E 2의 미비한 기능에 선입감이 앞서서 큰 기대감 없이 관망만 하고 있었다. 하지만 DALL-E 3버전은 챗gpt 유료 사용자에게만 사용할 수 있게 해준다고 해서 내심 얼마나 변화가 있었을까하는 궁금증은 가지고 있었다. 한동안 지루한 대기 시간을 가지다가 GPT-4 메뉴 밑에 DALL-E 3의 선택할 수 있는 기능이 열려서 얼리어댑터의 본능에 이끌려 즉시 몇 시간동안 DALL-E 3을 탐구하는 시간을 가졌다.
결과는 놀라움 그 자체였다. 이전 버전의 DALL-E 2와는 비교를

할 수 없을 만큼 큰 변화가 있었고 무엇보다도 결과 도출까지의 접근성이 매우 편리해졌다. 이번 글에서는 DALL-E 3을 며칠 동안 경험해 본 편리한 기능을 중심으로 하나 씩 설명해보고자 한다.

첫 번째, 매우 디테일한 프롬프팅이 가능하다는 것이다, 내가 테스트 삼아 "보름달이 뜬 가을 밤 캠핑장에서 장작불을 켜고 이야기하고 있는 중년의 한국 부부는 와인 잔을 들고 있고, 테이블에는 잘 구운 소고기 스테이크, 야채, 과일이 플레이팅 되어있으며 그 뒤에는 하얀색 캠핑카와 어닝이 보이는 그림을 실사형식으로 그려라"라고 프롬프팅을 하고나서 약 30초를 기다리니 아래의 결과물과 유사한 4개의 그림을 멋지게 펼쳐준다. 그림을 살펴보면 알겠지만 보름달, 캠핑장, 장작불, 한국 중년부부, 와인 잔, 테이블 위의 고기와 야채 과일, 흰 캠핑카, 어닝 등 내가 요구한 대부분의 요소를 포함시킨 그림을 그려주었다.

인공지능으로 그림을 그려본 경험이 없는 사람들은 잘 모르겠지만 현재 미드저니 기타 그림을 그려주는 프로그램에서는 위와 같이 많은 요소들을 요구하면 거의 절반 이상은 적용하지 않은 채 그림을 그려주는 게 일반적이다. 이번 DALL-E 3의 변화 요소 중 가장 큰 부분이 이와 같은 상세한 프롬프트에도 성실하게 반응을 해준다는 것이다.

[DALL-E 3로 그린 '캠핑하는 중년부부']

두 번째, 한글 입력이 가능하다는 것이다. 미드저니는 영어로 입력을 해야 하므로 영어에 익숙하지 못한 사용자들은 원하는 프롬프트를 한글로 적어서 구글 번역기나, 파파고를 이용해 영어로 번역된 문장으로 프롬프트를 해야 비로소 결과물을 얻을 수 있다. 더구나 모든 메뉴와 참조할 만한 글들이 영어로 되어 있어서 불편함이 컸다. 하지만 DALL-E 3에서는 한글로 프롬프트를 적어도 자동으로 번역해서 결과물을 턱하고 내 놓으니 한글 사용자로서 편리하기 그지없다.

세 번째, 한국적인 요소를 요구하는 프롬프팅을 해도 재대로 그려준다는 것이다. 여태껏 미드저니에서는 한국인이나 전통 건물, 복장을 그려달라고 하면 우리나라 것이 아니고 뭔가 중국, 일본이 같이 혼재된 결과물 우리나라 사람만이 제대로 구분할 수 있는 묘한 이질감이 드는 결과물이 나오곤 했었다. 할리우드 배우가 한국을 배경으로 연기를 하면서 나오는 어색함과 유사하다고 할 수 있겠다.

"모든 가족이 한복을 입고 궁궐 앞을 나들이 하는 한국 삼십대 부부와 여자와 남자 아이 그림을 실사형식으로 그려라"라고 프롬프팅해서 얻은 그림은 아래와 같다. 비록 궁궐 현판의 한글이 조금 이상하게 표현되었다고 하지만 한국인 가족과 한복 그리고 궁궐의 모습이 거의 이질감 없이 잘 표현되었고, 이전에 미드저니에서 경험했던 중국이나 일본이 같이 혼재된 느낌도 찾아보기가 어렵다고 할 수 있다. 이제 유튜브 콘텐츠를 제작하면서 저작권이 없는 이미지를 찾기 위해 '픽사베이' 같은 유무료 사이트를 힘겹게 찾아다닐 필요가 없을 것 같다. 유튜버들이 자주 이용하는 픽사베이에서도 한국스타일의 이미지를 찾기가 쉽지 않아 영상을 보다보면 외국인들이 자주 등장하는 것이 이러한 이유 때문이다

[DALL-E 3로 그린 '한복 입은 가족']

네 번째, 그림이 마음에 들지 않으면 다시 그리라고 하거나 마음에 든 특징 그림 중 하나를 다른 요소를 주어서 다시 그리라고 하면 쉽게 해준다는 것이다. 예를 들어 4개의 그림 중 "첫 번째 그림에서 성인남자 2명 중 한명을 6살 여자아이로 교체하고, 여자용 한복을 입은 남자아이의 복장을 남아용 한복으로 교체해서 그려라"고 프롬프팅 하면 다시 그려준다. 단 이 기능은 아직도 100% 만족스럽지는 않다, 아래의 두 그림이 수정 전후 그림이다. 이 그림을 얻기 위해서 몇 차례 반복해서 프롬프팅을 했다.

다섯 번째, 그림에 문자 삽입이 가능하다. "초콜릿과 블랙칼라 두 마리의 닥스훈트 강아지를 그려라 단, 상단에 한글로 '우리끼리' 라고 간판을 달고, 강아지 주위를 장미꽃 모양으로 장식을 하라. 그림은 실사 형식의 16:9 화면 비율로 만들어라.' 결과는 이상한 한글

[DALL-E 3로 그린 '한복 입은 가족 수정 전후']

이 나온다 하지만 간판을 영어인 'Woori & Kkiri'로 바꾸라고 하면 비교적 정확하고 그려준다. 아직도 한글 문자 표기는 정확하지 않지만 그래도 간단히 프롬프팅만 해도 인스타그램용 사진이나 이벤트 사진을 만들어 주기에 결과는 매우 만족스럽다고 할 수 있다. 몇 년 전만 하더라도 이정도 작업은 일러스트레이터 같은 프로그램으로 몇 시간씩 작업을 해야 얻을 수 있는 결과이고 그나마도 프로그램에 어느 정도 숙련된 작업자 많이 가능한 영역이었다.

[DALL-E 3로 그린 ' 닥스훈트, 우리끼리' 한글과 영어]

　　비교적 짧은 기간이었지만 DALL-E 3을 여러 가지 관점에서 테스트 해본 결과 예상보다 훨씬 만족스러웠다고 평가할 수 있다. 즉시 미드저니 정기 구독을 해지하는 것에 전혀 후회스럽지 않을 정도라고 감히 말할 수 있다. 비록 한글 문자가 제대로 구현이 되지 않아 아쉬웠지만 전체적으로 한국적인 이미지는 만드는 작업에 충분히 활용할 수 있다고 판단된다. 이제 오픈 초기라서 인공지능의 특성 상 빠른 시간 안에 한글 문자 구현문제도 해결이 되리라고 예상된다.

챗gpt와 Bing에서 인공지능 AI 그림 툴, DALL-E 3 비교

[Bing에서 그린 강아지와 토끼]

OpenAI 사의 챗gpt에서 바로 작업 가능한 DALL-E 3을 사용하려면 월 20달러를 정기 결제하는 챗gpt 유료 사용자가 되어야 한다. MS 사의 Bing에서도 DALL-E 3 기술로 그림을 그려주는 서비스를 이용할 수 있고 무료로 사용이 가능해서 Bing의 그림 그리기 기능을 이용해 보기로 했다.

Bing에서 그림을 그리려면 Bing 사이트에 들어가 "copilot" 버튼을 클릭하면 된다. 이것은 영어를 사용해야 하는 미드저니, 스테이블 디퓨전, 레오나르도 AI 같은 인공지능 그림그리기 사이트와 차별화되는 서비스라 많은 한국인이 좋아하는 기능이다. 참고로 스테이블 디퓨전과 레오르나르도 AI (https://app.leonardo.ai)도 무료로 그림을 그려주는 도구이다.

내 경험을 이야기 하면 무료라서 반가운 마음에 달려간 Bing 이었는데, 비록 단시간의 테스트에서도 Bing 텍스트 채팅에서와 유사하게 실망이 앞선 경험을 맛보았다. 처음에는 내가 뭘 잘못하고 있는 건가하고 프롬프트를 수정해서 몇 번이나 반복해봤지만 역시 결과는 유사했다. 그래서 원래는 Bing을 포함한 인공지능 그리기 프로그램들을 다루고자 했던 계획을 수정하여 챗gpt와 Bing의 그림그리기를 서로 비교해 보는 글을 써보기로 했다.

우선 '얼마나 디테일한 프롬프팅이 가능한가?'를 테스트 해봤다. 프롬프트는 두 프로그램에서 같이 "보름달이 뜬 가을 밤 캠핑장에서 장작불을 켜고 이야기 하고 있는 중년의 한국 부부는 와인 잔을 들고 있고, 테이블에는 잘 구운 소고기 스테이크, 야채, 과일이 플레이팅 되어있으며 그 뒤에는 하얀색 캠핑카와 텐트가 보이는 그림을 실사형식으로 그려라" 라고 적었다.

그런데 Bing에서의 결과는 참혹했다. 우선 Bing은 '실사'라는 말

[캠핑하는 중년부부, 좌측사진=챗gpt 우측사진=Bing]

을 인식하지 못하고 일러스트 형식으로 그려줬다. 단어를 풀어 '실
제 사진'이라고 해도 결과는 마찬가지였다. 보름달, 캠핑장, 장작불,
한국 중년부부, 와인 잔, 테이블 위의 고기와 야채 과일, 흰 캠핑카,
텐트 등, 내가 요구한 대부분의 요소들을 그렸지만 남녀 부부의 모
습을 제대로 표현하지 못했고, 장작불도 테이블 위에 그려줘 내가
원하는 방향과는 많은 차이가 있었다. 부부란 정의에서 내가 너무
고지식한 면이 있을 수도 있고, 테이블 위에 불이 장작불이 아니라
고도 할 수도 없기에 다른 주제로 추가 테스트 해보기로 했다.

이번에는 "발리우드 스타일의 할로윈 파티에서 할로윈 관련 장식
들은 그대로 남기고 사람들은 전혀 나오지 않게 하여, 실사형식의
16 : 9 화면 비율로 그려라"라고 프롬프팅을 해봤다. 메타버스 이
프랜드에서 나와 같이 인플루언서 활동을 하는 20대 아티스트의 요
청이 있었기 때문이기도 하다. 그림은 아래와 같다.

[발리우드 할로윈 파티장. 좌측사진=챗gpt 우측사진=Bing]

챗gpt에서는 내가 요청한 내용을 대부분 반영하여 그림을 그려줬다. 하지만 Bing에서는 사람을 제거하라는 요청을 전혀 들어주지 않았다. 그리고 그나마도 4장이 아닌 3장에 그려줬다. 발리우드 스타일의 할로윈 파티 분위기도 디테일한 면에서 많이 부족하다는 느낌이다. 당연한 결과이지만 그림을 요청한 아티스트도 챗gpt의 손을 들어 주었다.

다음에는 한국적인 요소를 요구하는 프롬프팅을 어떻게 반응하는지를 테스트 해봤다. 지난 글에서와 비슷하게 "한복을 입고 궁궐에 나들이 하는 한국 삼십대 부부와 여자와 남자 아이를 포함한 총 4명의 그림을 실사형식으로 그려라" 라고 프롬프팅해서 얻은 그림은 아래와 같다.

챗gpt에서는 한국인 가족과 한복 그리고 궁궐의 모습이 거의 이질감 없이 실사형식으로 잘 표현되었지만, Bing에서는 역시 실사형식을 인지하지 못했고, 사람 수도 제대로 구현하지 못했다. 그리고

[한복가족의 궁궐나들이, 좌측사진=챗gpt 우측사진=Bing]

한복을 표현한 가족의 장식물이 어딘가 어색함이 감돈다.

   Bing이 실사 그림을 제대로 그려내지 못하니까 이번에는 일러스트 그림을 요청해보았다. "감자를 의인화하고, 그 감자가 선글라스를 끼고 카메라를 들고 촬영을 하고 있는 모습을 일러스트형식 형식의 16: 9 화면 비율로 그려라." 결과는 아래와 같다.

[사진 촬영을 하고 있는 감자, 좌측사진=챗gpt 우측사진=Bing]

Bing도 일러스트 형식의 표현은 그나마 요청한대로 그려주었다. 하지만 막상 챗gpt와 비교해보면 디테일에서 차이를 발견할 수 있다. Bing의 그림은 챗gpt 결과물의 심플 모드 같았고 사진 촬영하는 모습이 제대로 구현이 되지 않았다.

다음으로 "흰색과 파란색 줄무늬 폴로셔츠를 입고 있는 회색머리를 한 50대 한국 중년남자의 캐리커처를 그려라" 라고 프롬프팅을 해봤다. 결과는 아래와 같다.

[폴로티 입은 중년남자, 좌측사진=챗gpt 우측사진=Bing]

전체적인 느낌은 비슷하게 잘 표현이 되었다. 다만 엄격하게 따져보자면 챗gpt에서는 50대라기에는 너무 나이든 그림들이 보였고, Bing은 나이 대는 유사하게 보였지만 마지막에 두 명의 그림을 그려준 것이 좀 생뚱맞다. 챗gpt도 아직 완벽한 단계는 아니라는 게 이번 결과로도 알 수 있다.

이번에는 한글과 영어 구현 능력을 테스트 해봤다. "한글 '호몽캠프'와 영어 'healing talk show' 의 간판이 그려진 토크쇼 홍보 포스터를 일러스트형식으로 그려라." 지난주와 달리 동시에 한글과 영어를 동시에 프롬프팅해서 결과를 살펴보았다. 결과는 아래와 같다

[한글과 영어 간판, 좌측사진=챗gpt 우측사진=Bing]

결과는 둘 다 기대 이하이었다. 영어는 그런대로 구현이 되나 한글은 여전히 외계어 같이 표현되었다. 이 부분은 아무래도 다음 버전 업데이트를 기대해야 될 듯하다. 의도하지 않은 번역기능을 사용해 한글 '호몽캠프'를 그려달라고 했는데 둘 다 영어 'HOMOMG CAMP'로 번역을 해서 보여주기도 했다.

영어 글자로만 구현해달라는 명령을 하면 제대로 보여주었기에 이번에도 위와 유사한 명령이지만 "'HOMONG CAMP'와 'healing talk show'의 간판이 그려진 메타버스 토크쇼 홍보 포스터를 1:1 형식으로 그려라." 라고 프롬프팅 해봤다. 결과물이 좋으면 내가 매주 메타버스 이프랜드에서 진행하고 있는 '호몽캠프' 홍보포스터로 사용해 보고자 하는 의도가 있었다. 결과는 아래와 같다

[호몽캠프 영어간판, 좌측사진=챗gat 우측사진=Bing]

결과를 비교해보면 메타버스라는 단어를 넣었더니 챗gpt는 약간 사이버틱한 분위기로 그려주었고 Bing은 역시나 이번에도 일러스트 형식으로 포스터를 그려주었다. 개인적으로는 이번에도 챗gpt에 손을 들어주고 싶다.

위에서 두 프로그램을 직접 실행해 본 결과를 비교해 봤듯이 동일한 DALL-E 3 기술을 기반으로 한 그림그리기에서 상당한 차이

를 보였다. 요즘 여론조사 회사를 운영하는 유명 유튜버가 반복해서 내세우는 "비싼 것이 정확하다"라는 캐치프레이즈처럼 역시 유료로 사용하는 챗gpt가 좀 더 정확한 결과물을 내 놓는 것 같다. 왜 결과물이 이렇게 큰 차이를 보이는 지 두 회사의 내부적인 상황이라 나로서는 알 수는 없다. Bing의 기대 이하의 결과물들도 비록 챗gpt와 동일한 프로프팅을 입력하여 비교를 했다지만 내가 Bing의 사용법을 제대로 익히지 못해서 얻어진 결과 일수도 있다.

나는 챗gpt를 유료 사용자라서 앞으로도 계속 챗gpt를 사용하겠지만, 그림그리기를 자주 사용하지 않고 정기결제를 원하지 사람들은 무료인 Bing의 특성을 파악해서 잘 사용하면 나름대로 좋은 결과물을 얻을 수 있을 것이다. 이 도구들은 인공지능 학습에 의해 지속적으로 발전을 거듭하기에 좀 더 시간이 지나 많은 사용자의 데이터가 모이면 궁극적으로는 거의 같은 수준의 결과물을 내 놓게 될 것이라 확신한다. 이 외에도 사용에는 좀 불편하지만 무료로 사용할 수 스테이블 디퓨전과 레오나르도 AI도 있으니 여러 가지를 차례로 사용해보고 본인에게 가장 잘 맞는 도구를 사용하면 좋을 것 같다

요즘은 자고 일어나면 인공지능 관련 새로운 뉴스가 올라오는 탓에 Bing의 미비한 부분도 독자들이 이글을 읽는 시점에서는 많은 개선이 될 수도 있다는 것을 미리 언급하고 마무리한다.

챗gpt는 한국, 중국, 일본인을 잘 구분할까?

[한중일 복장비교, 좌측부터 한, 중, 일, DALL-E3에서 그림]

이번 글에서는 재미있는 실험을 해보기로 했다. 2023년 한 해 동안은 '인공지능'이란 거대한 파도가 쉼 없이 밀려오는 환경 속에서 새로운 기술과 뉴스를 주위 담기에도 빠듯한 한해를 보냈다. 2024년에는 훨씬 더 큰 파도로 다가 오고 있다. 새로운 기술 습득에 지친 독자들을 위해서 장기간 개인적인 호기심에서 실험을 해본 것을 공유해보고자 한다.

나는 2023년 5월 초부터 SKT 메타버스 이프랜드(ifland)에서 매주 '호몽캠프'라는 제목의 방을 만들어 토크쇼를 해오다가 2023년 말부터는 인공지능을 주제로 오픈 강의를 해오고 있다. 이 강의를 준비하면서 개인적인 호기심이 발동했다. 그것은 내가 주로 사용하는 챗gpt는 얼마나 정확히 요구하는 프롬프트대로 그림을 그려주는가 하는 것이었다. 그래서 시간 날 때마다 틈틈이 테스트를 해보곤 했는데 반복적인 프롬프팅의 결과로 사물이나 풍경 같은 이미지는 내가 요구한 것에 상당히 근접한 결과를 얻을 수 있었으나 인물을 그릴 때는 그게 쉽지 않다는 것을 발견하였다.

초기 챗gpt에서는 서양인이나 건물, 복장은 대체로 잘 그려 줬으나 한중일 등 동아시아 관련 그림을 그릴 때는 건물, 복장 인물들을 제대로 구분하여 그려주지 못하였다. 하지만 챗gpt가 그림 툴을 DALL_E3 버전으로 업데이트 된 후 동아시아의 건물이나 복장의 차이를 어느 정도 반영하여 그림을 그려주기 시작하였다. 그래서 작년 10월 18일자 글 "챗gpt가 열어준 인공지능 AI 그림 툴, DALL-E 3은 한국도 잘 그린다."에서 해당 주제를 상세히 다루었다.

하지만 전통 복장을 입지 않은 상태로 그림을 그리면 한중일 인물들의 특징을 쉽게 잡아 낼 수 있을까 궁금했다. 그래서 한중일 20대 여성과 남성의 얼굴 특징을 비교하여 표로 만들어 달라고 요청하였다. 아래는 남녀 인물도와 비교표이다.

[한중일 1차 여성 인물비교, 좌측부터 한, 중, 일, DALL-E3에서 그림]

1차 특징비교	여성		
	한국	중국	일본
얼굴 형태	보통 둥근 얼굴이 흔하며, V라인이나 각진 턱선을 선호함	얼굴 형태가 다양하며, 넓은 이마와 둥근 턱이 특징임	타원형이나 긴 얼굴 형태가 흔함
눈	눈이 대체로 작고, 눈꼬리가 주로 올라가 있음 최근에는 서양식 눈도 인기있음	눈 모양이 다양하지만, 대체로 크고 둥근 편임	눈이 비교적 작고 깔끔함
코	일반적으로 작고 날카로운 코를 선호함	코가 비교적 넓고 코등이 낮음	작고 날카로운 코를 선호함
피부, 턱, 입술	매우 밝은 피부 톤을 선호하며, 피부 관리에 많은 관심을 가짐	자연스러운 피부 톤을 선호하며, 피부 관리에 매우 관심이 많음	자연스러운 피부 톤이 흔하며, 투명하고 깨끗한 피부를 선호함

[한중일 1차 남성 인물비교, 좌측부터 한, 중, 일, DALL-E3에서 그림]

1차 특징비교	남성		
	한국	중국	일본
얼굴 형태	각진 턱선과 뚜렷한 얼굴 특징이 특징임. V라인 얼굴 형태도 선호됨	다양한 얼굴 형태가 있으며, 보통 넓은 이마와 둥근 턱이 특징임	얼굴 형태: 타원형 또는 길게 늘어난 얼굴 형태가 흔함
눈	비교적 작고, 눈꼬리가 올라간 눈	눈 크기가 다양하지만, 일반적으로 비교적 작음	눈은 비교적 작고 눈 모서리가 깔끔하게 형성됨
코	날카로운 코와 뚜렷한 코 다리를 선호함	코코가 넓고 코 다리가 낮음	특징적인 특징은 작고 뾰족한 코임
피부, 턱, 입술	강한 턱선과 얇은 입술이 특징임	둥근 턱과 두꺼운 입술이 일반적임	턱선이 부드럽고 입술이 얇음

약 2주가 지난 뒤에 다시 같은 질문을 하고 표와 인물도를 그려 보았다. 하지만 이번 표에서는 지난번의 특징과 상당부분 일치하지 않는다는 것을 발견하였다. 인물도도 비교해보니 지난 번 그림의 특징을 찾기도 힘들었다. 즉 할루시네이션(뻔뻔한 거짓말) 결과를 여기서도 만나게 된 것이다. 아래 표와 그림을 참조하여 위와 비교 해보라.

[한중일 2차 여성 인물비교, 좌측부터 한, 중, 일, DALL-E3에서 그림]

2차 특징비교	여성		
	한국	중국	일본
얼굴 형태	V라인, 작은 얼굴	다양한 윤곽, 둥근 얼굴	부드러운 윤곽, 낮은 코
눈	높음	평평함	낮음
코	강조된 눈매	비교적 작은 눈	큰 눈
피부, 턱, 입술	얇은 입술	중간 두께 입술	중간 두께 입술

[한중일 2차 남성 인물비교, 좌측부터 한, 중, 일, DALL-E3에서 그림]

2차 특징비교	남성		
	한국	중국	일본
얼굴 형태	갸름하면서도 강한 이목구비	넓고 둥근	갸름한 편이지만 둥근
눈	비교적 작고, 쌍꺼풀 있는 경우 많음	크고 둥글며, 쌍꺼풀 없는 경우 많음	약간 작고, 쌍꺼풀 없는 경우 많음
코	직선적이며 높은 콧대	넓고 평평한	작고 둥근
피부, 턱, 입술	각진 턱선과 발달된 턱 근육	둥글고 부드러운 턱 모양	한국인보다는 둥근 형태 턱모양

2차례의 실험을 통해서 얻은 결론은 내가 너무 인공지능을 능력을 과대평가하고 과도한 결론으로 유도했다는 사실을 깨달았다. 우리는 보통 한국인을 칭할 때 단일민족이라고 부를 때가 많다. 하지만 역사에 조금만 관심을 기울이면 우리가 단일민족이라고 주장하기에는 다소 무리가 있다는 것을 쉽게 발견할 수 있다.

역사 속에서 우리 조상들은 주변 민족들과의 자주 피가 섞일 수밖에 없는 환경에 자주 노출되었다. 간단히 살펴보아도 삼국시대 당나라, 고려시대 원나라, 조선시대 명나라, 청나라, 일본 등의 침공과 일제 강점기를 통해 많은 혼혈들이 태어난 것은 부정할 수 없는 사실이기 때문이다. 심지어 고대 국가에서는 국경도 모호해서 정확히 우리 한민족이 거주하던 곳이 어디까지 인지 판단하기도 어렵다고 할 수 있다.

요즘 일부 호기심이 많은 사람들 사이에서 유행을 하고 있는 유전자분석 결과들을 보더라도 정도의 차이는 있겠지만 우리나라 사람들은 한국, 중국, 몽골, 일본의 피가 골고루 섞여 있는 것을 볼 수 있다.

우리가 외국인을 만날 때 얼굴만 보고 그 사람이 정확히 미국인인지 독일인인지 프랑스인인지 판단하기 어려웠던 경험이 대부분 있을 것이다. 다만 백인과 흑인, 중동인, 인도인, 동남아인 정도를 구분할 수 있을 것이다. 우리는 직관적으로 한중일 인물들의 차이를 거의 정확하게 인지할 수 있다.

하지만 가끔 중국인이나 몽골사람과 닮은 한국인을 만날 때가 있듯이 인공지능에게 정확히 한중일 인물을 구별해서 그려 달라고 하는 것은 무리한 요구라는 결론에 도달했다. 한중일 인물의 비교해서 그리는 현명한 방법은 각국의 복장은 대체로 잘 구분해서 그려주니까 복장을 입혀서 그리는 것이 조금 더 바람직하다는 생각이 든다.

내가 시행했던 또 다른 실험은 남녀 서양인과 한국인들의 연령대를 얼마나 정확히 그려주는가 이었다. 이번 글에 그림이 많고 글이 너무 길어 져서 위 주제는 다음 글에서 다루기로 한다.

챗gpt는 동서양 인물의 나이를 잘 구분할까?

[20대 동서양인, DALL-E3에서 그림]

지난 글에서 한중일 남녀 인물 특성비교에 이어 이번에는 챗gpt
가 연령대를 얼마나 정확히 구분해서 그림을 그려주는지 실험해보
는 시간을 가져보려 한다. 이 실험의 계기는 내가 그리고자 하는
인물의 나이를 입력하고 요청을 했을 때 예상되는 나이와 다소 차
이가 있는 결과물을 얻는 경우가 자주 있었기 때문이다. 이번 기회
에 챗gpt는 인물들의 나이를 어떻게 구분하여 그리는지 또 서양인

과 동양인은 어떤 차이를 가지고 묘사해 그리는지를 실험해보기로
했다.

우선 실험을 통해 그려진 그림을 먼저 감상해 보자.

[동서양 연령대 인물비교, DALL-E3에서 이용호 그림]

　사진의 순서는 위에서부터 한국인 여성과 남성, 미국인 여성과 남성의 순서이고 10부터 80대까지 총 8장의 그림을 그리는 실험을 하였다. 프롬프트는 최대한 간단하게 "한국 10대 여성을 실사기법으로 그려라"라는 식으로 작성하였다. 왜냐하면 간단한 프롬프팅을 했을 때 챗gpt가 내부 알고리즘을 어떻게 돌려서 그림을 그리는가를 보고자 했기 때문이다.

그림을 보고 여러분의 느낌은 어떤지 궁금하다. 이런 경우에 지극히 주관적일 수밖에 없지만 내 개인적인 의견으로는 한국 여성의 경우 30대부터 60대까지 평균 나이보다 늦게 표현이 되었고, 남성의 경우 50대에서 70대 까지 평균보다 더 늦게 그려졌다고 생각한다, 미국 여성의 경우는 거의 연령대에 맞게 표현이 되었고 남성의 경우에는 40대, 50대에서 다소 나이보다 더 늦게 그려졌다고 판단된다.

이번에는 먼저 그려진 그림을 첨부하고 챗gpt는 연령대와 국적을 제대로 인식하는지를 실험해봤다. 먼저 한국 여성의 경우 20대의 경우 "젊은 성인여성"이라고 표현한 것을 제외하면 대부분의 연령대를 정확히 표현하였다, 남성의 경우 10대, 20대는 정확히 인식하였지만 30대~70대는 대부분 10살부터 20살 정도 더 나이가 많게 인식하였다. 그리고 국적은 여성과 남성 모두 한국으로 인식하지 않고 "동아시아인"이나 "아시아인"으로 인식하였다. 지난 주 글에서도 다룬 바 있지만 한중일의 정확한 인물 비교는 사실상 큰 차이가 없어 복장과 함께 비교하여 차별화하라고 이야기 하였다. 실제 유전자 검색을 해보면 동아시아인들은 대부분 한국, 중국, 몽골 일본인의 유전자가 골고루 섞인 경우가 대부분이기 때문에 나름 타당한 해석이라 생각한다.

미국인 여성의 경우 10대, 20대의 경우 나이 예측이 정확하였고

30대는 중년여성(middle-aged woman) 으로 표현하여 다소 나이보다 많게 인식이 되었고 40대 이상에서는 '중년층(Middle-aged)', '연륜이 있어 보이는(Looks old)', '상당한 나이의(Significant)', '성숙한 연령층(Mature Age)', '상당히 연륜이 있어 보이는(Looks quite old)' 등과 같이 정확한 연령층을 인식하는 것보다는 유사한 연령층을 예상할 수 있는 단어들을 표현하였다.

남성들의 경우 10대는 정확히 인식하였고 20대는 성인(Adult)로 표현했고 30대부터 50대는 모두 중년(Middle aged)이라 표현하는 오류를 보였다. 60대 이상에서는 이전 답변의 패턴과는 달리 '디지털 아트로 그려진 그림이라 정확한 나이 추측이 어렵다'라고 판단하였다. 그리고 국적에서도 미국인 여성이나 남성에서 전부 '정확한 국적은 알 수 없다'고 하였다. 국적에서 나는 서양인(Western) 정도의 결과를 예상하기는 했으나 국적 판단의 어려움은 충분히 이해할 만한 부분이었다.

이번에는 "동아시아인을 그릴 때 여성과 남성의 연령대를 구분하는 기준을 무엇인지 상세히 설명하라"라고 프롬프팅을 하여 챗gpt가 그림을 그리는 기준을 살펴보았다. 그 결과는 아래와 같다.

동양인을 그릴 때 남녀 성별과 연령 그룹을 구분하는 기준은 일반적으로 전통적인 얼굴의 특징과 스타일링에 기반을 두고 있다. 남성과 여성, 그리고 다양한 연령대를 구별하는 데에는 몇 가지 주요 요소들이 있다.

첫째, 얼굴의 형태와 선들이 중요하다. 남성의 경우, 얼굴은 보통 더 각진 형태를 띠며 턱선이 뚜렷하고 광대뼈가 더 도드라져 보일 수 있다. 반면 여성의 얼굴은 더 부드러운 곡선을 가지고 있으며, 둥근 턱과 더 섬세한 광대뼈를 가질 수 있다.

둘째, 연령대에 따른 차이도 있다. 젊은 캐릭터들은 더 크고 둥근 눈, 매끄러운 피부 톤을 가지고 있을 수 있으며, 나이가 많은 캐릭터들은 더 성숙한 표정, 주름 또는 더 어두운 피부 톤을 가질 수 있다.

셋째, 스타일링 요소들도 중요하다. 헤어스타일, 옷차림, 액세서리 선택 등은 남성과 여성, 그리고 서로 다른 연령대를 나타내는 데에 크게 기여한다. 예를 들어, 젊은 캐릭터들은 더 유행을 따르는 스타일을 가질 수 있으며, 나이가 많은 캐릭터들은 더 보수적이거나 전통적인 스타일을 선택할 수 있다.

이러한 요소들을 종합하여, 동양인 캐릭터들을 그릴 때 각 성별과 연령대에 맞는 특징들을 반영하는 것이 중요하다. 그러나 이는 일반적인 가이드라인에 불과하며, 현실에서는 다양한 얼굴 형태와 스타일이 존재한다는 점을 기억하는 것이 중요하다. 따라서 캐릭터를 그릴 때는 개별적인 특성과 다양성에도 주목해야 한다.

위 결과를 보면 어느 정도는 나이에 따른 기준을 가지고 그림을 그리기는 하나, 가능하면 나이에 추가하여 상세하게 원하는 프롬프트를 추가하면 훨씬 근접한 그림을 얻을 수 있을 것이다.

이번에는 "서양인을 그릴 때 여성과 남성의 연령대를 구분하는 기준을 무엇인지 상세히 설명하라"고 프롬프팅 해봤다. 이번 결과는 아래와 같이 나왔다.

서양인 캐릭터를 그릴 때 남녀 성별과 연령 그룹을 구분하는 기준은 여러 가지 특징에 기반을 두고 있다. 이러한 특징들은 얼굴의 형태, 표정, 스타일링 요소 등을 포함한다.

남성 캐릭터의 경우, 일반적으로 더 각진 얼굴 형태, 뚜렷한 턱선, 넓은 어깨, 그리고 광대뼈가 두드러지는 경향이 있다. 반대로 여성 캐릭터는 더 부드러운 얼굴 곡선, 더 섬세한 특징들, 좁은 어깨를 가질 수 있다. 물론, 이러한 특징들은 개인차가 있으며 모든 사람에게 해당되지는 않는다.

연령대에 따른 차이도 중요하다. 젊은 캐릭터들은 일반적으로 더 크고 둥근 눈, 매끄러운 피부, 그리고 활기찬 표정을 가질 수 있다. 반면, 나이가 많은 캐릭터들은 더 많은 주름, 더 정제된 표정, 그리고 피부 톤의 변화를 가질 수 있다.

스타일링 요소도 중요한 역할을 한다. 헤어스타일, 옷차림, 액세서리 등은 캐릭터의 연령과 성별을 나타내는 데 큰 영향을 미칠 수 있다. 예를 들어, 젊은 캐릭터들은 더 유행하는 스타일을 선호할 수 있으며, 나이가 많은 캐릭터들은 더 전통적이거나 고전적인 스타일을 선택할 수 있다.

이러한 요소들을 고려하여 서양인 캐릭터를 그릴 때 각 성별과 연령대에 맞는 특징들을 반영하는 것이 중요하다. 그러나 개별적인 특성과 다양성에 주목하는 것도 중요하며, 이러한 일반적인 가이드라인은 모든 개인에게 적용되지 않는다는 것을 이해하는 것이 중요하다. 따라서 캐릭터를 그릴 때는 각 인물의 독특한 특성을 존중하고 반영하는 것이 필요하다.

위 결과를 통해서 챗gpt는 어느 정도 눈, 피부 톤, 표정, 주름 등과 같이 연령대 별로 구분하여 그려주는 기능은 명확히 가지고 있다는 것을 알 수 있었다 그리고 정확한 그림을 얻기 위해서는 나이를 연상할 수 있는 스타일링에 대해 상세한 프롬프트가 필요하다는 것을 다시 이해할 수 있었다.

마지막 실험은 "한국의 다양한 연령대의 못생긴 여성들을 좌측에서 부터 차례로 실사형식 16:9 비율로 그려라"라고 프롬프팅 해봤다. 인공지능에게 그림을 그리라고 명령하면 대부분 예쁘고 잘생긴 얼굴만 그려주기 때문에 일부러 못생긴 그림을 요청하면 결과가 어떻게 나올지 궁금했기 때문이다.

결과는 "This content may violate our content policy. If you believe this to be in error, please submit your feedback — your input will aid our research in this area.(이 내용은 당사의 콘텐츠 정책에 위배될 수 있습니다. 이것이 오류라고 생각되면 피드백을 제출하십시오. 귀하의 의견은 이 분야에 대한 당사의 연구에 도움이 될 것입니다)" 라는 경고문을 만나게 된다. '못생긴' 이란 단어가 챗gpt가 지향하는 윤리규정을 맞지 않기 때문이다.

그러면 달리 다른 방법이 없는 것인가? 이번에는 '못생긴' 대신 '예쁘지 않은' 이란 단어로 시도해봤다. 다행히 경고는 뜨지 않고 그려주지만 그래도 여전히 예쁘게 그려준 것 같다.

　여러 번 시도에도 자체 윤리 규정 때문인지 프롬프트와는 다른 그림들만 그려 줘서 마지막으로 '화가나 인상을 쓰고 있는 얼굴'이라고 적고 시도해봤다. 이번 결과는 그나마 의도한대로 나왔지만 처음 원했던 '못생긴' 얼굴과는 차이가 있었다.

　이 부분을 포함해 조금이라도 잔인하거나 이슈가 될 만한 그리기 요청에도 챗gpt는 너무 엄격한 기준을 적용해 거부하고 있다. 다양한 작품성을 위해서라도 사용자의 성인 인증을 통해서라 너무 일방적인 윤리규정은 신속히 풀렸으면 한다.

　인공지능으로 그림을 그리는 것은 글자만 몇 자 적어 넣으면 그림이 뚝딱 그려지기도 하지만 사용자가 원하는 그림을 얻으려면 상세한 프롬프팅과 함께 상당히 많은 연습이 필요하다. 연습을 부지런히 하다보면 "You've reached the current usage cap for GPT-4. You can continue with the default model now, or try again after 4:37 PM. Learn more. (GPT-4의 현재 사용량 상한에 도달했습니다. 지금 기본 모델로 계속 진행하거나 오후 4시 37분 이후에 다시 시도할 수 있습니다.)" 라는 메시지도 자주 만나게 될 것이다. 나는 이 또한 인공지능을 통해 열심히 공부했다는 훈장으로 여기고 잠시 프롬프트 창을 떠나 휴식을 취하는 시간을 가진다.

어도비 포토샵 2024, 혁신적 업그레이드

[포토샵 2024 [사진출처=어도비]

　그래픽 전문가를 포함해 일반인들에게도 가장 친숙한 그래픽 편집프로그램인 어도비사의 포토샵도 챗gpt의 거센 파도에 합류하여 많은 변화를 가져왔었다. 최근에 릴리즈된 포토샵 2024는 사진 편집 분야에서 새로운 기준을 세우는 다양한 혁신적 기능을 도입했다. 이번 글에서는 포토샵 2024의 혁신적인 파라메트릭 필터, 생성형 AI 기능, 그리고 더 정교해진 제거 도구 등 7가지 주요 기능을 통해 향상된 기술들을 살펴보고자 한다.

첫 번째는 파라메트릭 필터이다. 포토샵 2024 베타는 브랜드 새로운 파라메트릭 필터를 소개하며, 사용자가 각 색상의 강도와 전체 불투명도를 포함하여 각 부분을 수정할 수 있는 비파괴 효과, 예를 들어, 크로매틱, 하프톤, 듀오톤을 적용할 수 있다. 이 필터들은 오래된 필터 갤러리에서 한 발짝 떨어져 있으며 포토샵 베타에서만 사용 가능하다. 사용자는 '필터' 탭에서 이러한 필터에 쉽게 접근하고 파라메트릭 속성을 사용하여 필터를 수정할 수 있어, 매끄럽고 직관적인 경험을 제공한다.

두 번째는 개선된 제거 도구이다. 제거 도구는 상당한 업그레이드를 거쳤으며, 사용자가 그들 주변을 간단히 루프 처리하여 방해가 되는 요소를 쉽게 제거할 수 있다. 이 기능은 포토샵의 정규 버전에서 사용 가능하며, 원본을 훼손하지 않고 사용자가 그들의 선택에서 추가하거나 빼는 것을 가능하게 한다, 이는 이미지에서 원치 않는 요소를 제거하는 데 편리하고 효율적인 방법을 제공한다.

세 번째는 생성형 AI 기능이다. 어도비의 생성형 AI 기능들, 생성형 채우기와 생성형 확장을 포함하여 베타버전에서 상업적으로 사용할 수 있게 되었다. 생성형 채우기는 사용자가 요소를 제거하고 공간을 지능적으로 채우게 해주며, 생성형 확장은 크롭 도구와 함께 작동하여 크롭 후 확장된 영역을 채우게 한다. 이러한 기능들은 다르게 포장되었지만 동일한 원칙으로 작동하며, 인스타그램과 같은 플랫폼에게 특히 고품질의 결과를 제공한다.

네 번째는 생성형 크레딧 시스템이다. 어도비는 생성형 AI 기능을 사용할 때 사용자에게 크레딧을 비용으로 부과하는 생성형 크레딧 시스템을 도입한다. 다른 플랜들은 다양한 양의 크레딧을 제공하며, 한번 소진되면, 생성형 채우기와 같은 기능들은 느리게 작동할 것이다. 어도비는 미래에 추가 크레딧을 구매할 수 있는 옵션을 제공할 계획이다.

다섯 번째는 콘텐츠 자격 AI 태그이다. AI를 사용하는 모든 프로젝트는 콘텐츠 자격으로 태그될 것이며, 이는 JPEG이나 PNG 파일로 내보낼 때에도 AI 모델의 사용을 보여준다. 이 기능은 이미지를 만드는 데 어도비 Firefly와 같은 AI 모델의 사용에 대한 투명성을 보장한다.

여섯 번째는 컨텍스트 태스크바 업데이트이다. 포토샵 2024의 컨텍스트 태스크 바는 개선된 안정성을 제공하며, 포토샵을 재시작한 후에도 고정된 위치를 유지한다. 이 개선은 사용자에게 일관되고 신뢰할 수 있는 인터페이스를 제공하여 전반적인 사용자 경험을 향상시킨다.

일곱 번째는 어도비 MAX 세션이다. 어도비 MAX에서는 AI 도구의 홍수와 그것들의 실용적인 응용을 어떻게 사업을 성장시키는

데 이용할 수 있는지에 중점을 둔 세션을 진행할 예정이다. 이 세션은 무료로 접속 가능하며, 사용자들은 그들의 집에서 라이브로 참여할 수 있다.

정리하면 포토샵 2024는 어도비의 혁신에 대한 노력을 증명하며, 혁신적인 고급 기능과 향상된 기능을 제공하고 있다. 파라메트릭 필터의 도입과 제거 도구의 업그레이드에서 생성형 AI와 새로운 크레딧 시스템의 구현에 이르기까지, 어도비는 사진 편집 분야에서 예상 가능한 경계를 계속해서 허물고 있다. 이러한 기능들은 편집 과정을 간소화할 뿐만 아니라 사용자에게 전례 없는 유연성과 정밀도로 창조할 수 있는 능력을 부여한다. 이러한 기능들은 편집 과정을 간소화하고 사용자가 더욱 정밀하고 유연하게 창조할 수 있게 함으로써, 사진 편집의 새로운 가능성을 탐구한다.

이러한 포토샵의 혁신적인 변화로 인해 많은 그래픽 전문가들의 직업이 위협 받고 있다는 말들도 나오고 있다. 하지만 포토샵 2024에는 파라메트릭 필터 및 생성 AI 기능과 같은 혁신적인 기능이 도입되어 그래픽 전문가에게 비교할 수 없는 창의적 자유와 정확성을 제공하고 있다. 이러한 고급 도구를 사용을 배타 시 하지 않고 적극적으로 배워간다면 이전에는 불가능하다고 여겨졌던 시각적 요소를 제작하여 획기적인 예술과 디자인을 창조하는 선구자로 자리매김할 수 있을 것이라고 확신한다.

인공지능 AI로 그린 그림의 저작권은 누구에게 있나?

요즘 음악을 필두로 해서 각 분야의 창작물에 대한 저작권문제가 자주 이슈가 되고 있다. 저작권 문제를 대수롭지 않게 여기고 콘텐츠를 제작하면서 타인의 저작물의 일부나 전체를 도용한 사람들이 소송을 당해 큰 피해를 봤다는 뉴스도 흔하게 접하고 있다. 이번 글에서는 요즘 각광을 받고 있는 인공지능으로 그린 그림의 저작권 인정에 관해 다루어 보고자 한다.

요즘 AI 기술이 발달하면서 '챗gpt' 등과 같은 다양한 AI 서비스가 우리 일상에 들어와 있는데, 이 AI 중 일부는 그림을 그리는데 특화되어 있다. 대표적으로 '미드저니(Midjourney)' '스테이블 디퓨전(Stable Diffusion WebUI)' '노벨 AI' '오픈AI Dall-E 3' 등과 같은 프로그램들이 있고 그 외에도 수많은 그림을 생성해주는 프로그램들을 유료나 무료로 쉽게 체험해 볼 수 있는 세상이 되었다.

하지만 여기서 문제는 누가 AI 그림의 저작권을 가지고 있느냐는 것입니다. 이 문제에 대해 알아보기 위해 미국의 한 사례를 살펴보자. 2022년 9월에 뉴욕에서 활동하는 작가 크리스 카시타노바는 만화 '새벽의 자리야(Zarya of the Dawn)'에 대한 저작권을 미 저작권청에서 승인받은 바 있었다.

이 그림은 AI 프로그램 '미드저니'를 사용해 그린 것이었다. 그림을 생성한 것은 AI지만 카시타노바가 만화의 전체 줄거리를 만들고, 여러 이미지를 결합해 하나의 작품으로 만든 행위를 인정하여 카시타노바의 저작권 소유를 인정했다. 당시의 관점은 미국에서는 AI를 도구로 보고 그 도구로 작품을 만든 사람에게 저작권을 부여한다는 것이다.

하지만 카시타노바가 이 이미지를 조금 편집해 2022년 11월 미국에서 출간될 예정인 책에 포함시켰는데, 처음에는 저작권 신청이 받아 들여졌으나, 2023년 2월 미국 저작권청은 그림책의 글씨 내용

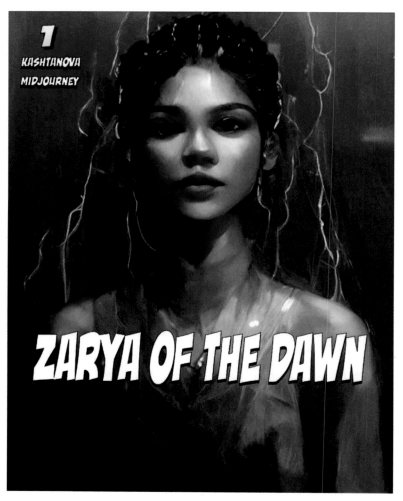

[미드저니에서 그린 크리스 카시타노바의 만화책 '새벽의 자리야' 표지]

은 작가의 저작권으로 등록이 되나 그림책에 쓰인 AI 모델이 만든 그림에 대해서는 저작권 보호 대상이 아니라는 판단을 작가에게 통보했다.

또 다른 예로는 인공신경망 개발사 '이매지네이션 엔진'의 최고
경영자(CEO) 스티븐 탈러는 2018년 인간의 그림과 비슷한 그림을
만들 수 있는 AI 기계를 개발했다. 이 기술에 자부심을 느낀 그는
AI가 만든 작품에 저작권을 부여하고 싶어 미국 저작권청에 등록을
신청했지만 여러 번 거부당해 소송을 제기했었다. 2023년 8월 워
싱턴DC 연방지방법원은 "인간이 창작 과정에 전혀 참여하거나 개
입하지 않고 AI로만 자동 생성된 작품이기 때문에 저작물로 등록할
수 없다"고 저작권청의 손을 들어 주는 판결을 했다.

이번 소송 건을 판결한 하웰 판사는 2018년 미 항소법원이 원숭
이가 촬영한 셀피(selfie)에 대해 저작권이 없다고 판단한 것도 인
간의 개입 없이 만들어진 저작물로서 같은 법리가 적용됐다고 봤
다. 해외 매체들은 이를 카메라와 사진작가에 비유하기도 했다. 카
메라는 수동적인 관찰자와 같이 특정한 장면을 그것의 원시 형태로
캡처한다. 그러나 캡처된 이미지의 저작권을 부여 받는 것은 카메
라가 아니라 사진작가이다. 이 구분은 사진 작품의 진정한 본질은
카메라에 잡힌 단순한 장면에 있지 않고, 사진작가에 의해 만들어
진 의식적인 결정들 즉 위치의 선택, 피사체의 배열, 그리고 이미지
가 캡처되는 관점에서 생겨난다고 했다. 본질적으로, 기술과 심지어
동물들도 매혹적인 이미지나 장면을 연출할 수 있지만, 저작권 보
호를 받는 지위를 얻을 수 있는 것은 작품 뒤에 숨겨진 인간의 의
도와 창조성이라 할 수 있다.

미국 재판부는 재판 과정에서 AI가 만든 예술작품이 미국 저작권의 보호를 받을 수 있는지에 대한 핵심 질문을 던졌고, 결과적으로 미국 저작권법은 인간이 만든 작품만 보호하도록 설계됐다는 결론을 내렸다. 스티븐 탈러는 이 기계의 제작자이자 소유자로서 AI가 만든 작품의 저작권을 자신이 소유해야 한다고 주장하며 법원에 소송을 다시 제기한다고 했다.

그러면 한국은 어떤 입장일까? 한국도 미국의 입장과 크게 다르지 않다. 한국의 저작권법에서는 인간만이 창작할 수 있다고 규정하고 있어 사람이 아닌 동물이나 기계, AI가 그린 그림의 저작권을 인정하지 않는다. 다만 AI를 이용해 그림을 그리는 사람에게 저작권을 주는 것은 가능하다. 이때 중요한 것은 AI 프로그램의 이용약관을 꼼꼼히 읽어보는 것인데, 이용약관에 따라 그림의 저작권은 사용자에게 있을 수도 있고, AI를 만든 회사에 있을 수도 있기 때문이다.

AI가 그림을 그릴 때 이미 존재하는 다른 작품을 학습해 새로운 그림을 만들어내기 때문에 AI가 만든 그림이 기존 작품과 너무 유사할 경우 저작권 침해의 우려가 있는데, 이를 판단하는 기준은 얼마나 '실질적으로' 유사한지에 달려 있다. 이와 관련하여 스테이블 디퓨전을 만들어낸 스태빌리티 AI(Stability AI)는 유럽과 미국에서 잇따라 소송을 당했다. 실제로 미국 이미지 업체 게티이미지는 AI

이미지 생성 도구인 '스테이블 디퓨전'을 저작권 침해로 고소했는데, 게티이미지는 이 AI가 그림을 만들 때 자기 회사가 소유한 이미지를 사용했다고 주장했다. 게티이미지는 스태빌리티 AI가 20억여 장을 AI 모델 학습에 투입했고 최소 수천 장의 이미지를 라이선스 구매 없이 사용했다고 주장했다. 이런 사실은 인공지능이 생성한 결과물에 저작권 표기가 함께 생성되면서 밝혀졌다.

아직까지 AI 그림의 저작권에 대한 명확한 규정이 확립되어 있지는 않지만, 현재의 판례와 법률을 보면 어느 정도 방향성을 짐작할 수 있으며, AI를 사용할 때는 항상 저작권 문제를 고려해야 할 필요가 있다. 자리야 와 탈러의 사례를 통해 미국 저작권청과 법원의 현재 입장은 인간이 부분적으로 편집하든 AI가 완전히 창작하든 AI가 만든 작품은 저작권 보호 대상이 아니라는 점이 분명하다.

일부는 법적 논란을 제거하기 위해 AI 개발자들이 학습한 데이터에 대한 라이선스를 획득하고 원래 데이터 소유자에게 지불해야 한다고 주장한다. 그러나 초대형 인공지능에 입력되는 각 데이터 조각에 대해 지불하는 것은 현실적으로 어려운 문제라고 생각된다. 인공지능으로 만들어진 창작물의 소유권에 대한 논쟁은 앞으로도 계속될 것으로 보인다. 컨텐츠 창작자들은 저작권 문제에 대해 명확한 결론이 나길 유심히 지켜보면서 의도치 않은 피해를 보지 않도록 유의하면서 창작활동을 하는 지혜가 필요할 것이다.

손에 잡히는 인공지능

◇◆◇◆◇

3장. AI는 도깨비 방망이

인공지능(AI) 음성비서를 활용하자

　2016년부터 약 4년간 우리나라뿐만 아니라 전 세계적으로 인
공지능 스피커가 활발하게 보급이 되어 지금도 각 가정에는 AI
스피커를 한 두 대 쯤 사용하고 있거나 한동안 사용하다가 흥미
가 떨어져 방치해 놓고 있을 것이다. 나름 얼리어댑터라고 자부
하는 나도 당연히 KT 기가지니, 구글 홈 미니, 삼성 갤러시 홈
미니, 카카오 미니, 아마존 에코, 네이버 클로바 등 여러 종류의

인공지능 스피커를 구매하여 사용을 해봤고 예전처럼 빈도가 높지는 않으나 지금도 가끔 사무실이나 집에서 스피커를 사용하곤 한다.

　개인적인 의견이지만 인공지능 스피커의 인기가 시들해진 것은 이것이 가지고 있는 대부분의 기능을 우리 곁에서 거의 24시간 함께하는 스마트 폰에서도 대부분 사용이 가능하기 때문이라 생각한다. 우리나라 사람들이 가장 많이 사용하는 갤럭시 폰에서는 구글의 "어시스턴트"나 삼성의 '빅스비', 애플 폰에서는 '시리'라는 막강한 음성비서가 있어 폰에게 명령만 내리면 즉시 응답을 해주니 굳이 별도의 인공지능 스피커를 사용할 필요성이 적어지는 게 극히 당연한 현상이다.

　이번에는 인공지능(A)) 음성비서에 대해 이야기 해보려고 한다. 스마트 폰에 탑재된 대표적인 음성비서는 구글 어시스턴트, 애플 시리, 삼성 빅스비가 있으나 그 기능이 대동소이하기 때문에 우리나라 사람들이 가장 많이 사용하는 삼성 빅스비를 중심으로 기능으로 설명해보고 어시스턴트나 시리에 차별화된 기능이 있으면 별도로 이야기 해보려고 한다. 그리고 마지막으로는 국민 메신저인 카카오톡에서 사용가능한 챗gpt 기술을 이용한 챗봇 '아숙업 Askup'도 짧게 이야기 하려한다.

　음성비서의 대표적인 기능을 나열해보면 음악감상, 전화걸기,

날씨정보, 알람, 메모, 번역, 뉴스, 환율, 주가, 운세, 지식, 생활정보, 교통과 길찾기 정보, 외국어로 대화, 영화와 TV정보 등이 있다. 개별 기능 하나 하나를 상세하게 설명하기에는 지면의 한계가 있어 생략하지만 내가 추천하고 싶은 사항은 먼저 위에 나열한 기능들은 시간이 날 때 마다 한번 씩 테스트를 해보고, 편리하다 싶으면 사용을 습관화 하라는 것이다. 그리고 이런 기능도 있을까 하는 것들도 음성비서에게 수시로 물어 보는 적극성이 필요하다. 왜냐하면 각 회사에서 만든 인공지능 기능들은 사전 예고 없이 수시로 업데이트가 되기 때문에 일일이 설명서를 만들어 배포하기도 벅찬 입장이다.

구글 어시스턴트는 외국여행 시 구글 지도 앱을 사용하여 길찾기나 주유소, 식당 등의 위치 검색을 할 때 매우 유용하다. 국내 지도 앱들은 외국에서 서비스가 되지 않기 때문이다. 그리고 이전에 영상을 검색할 때 '유튜브'란 말을 안 해도 구글에서 운영하는 유튜브로 바로 연결해줘서 편리 했는데 지금은 빅스비에서도 유튜브 영상을 바로 연결해준다. 애플 시리에 특화된 기능들은 먼저 폰 안에 저장된 비밀번호를 요청할 수 있다. 당연히 바로 알려주는 것은 아니고 몇 단계의 검증 절차를 거치지만 내 폰안에 저장되어 있지만 잊어버린 비밀번호를 알려준다. 그리고 현재 운항중인 항공편을 말하면 비행기에 대한 상세정보를 알려주는 것도 특이하다.

그 외에도 카카오에서는 카카오톡 메시지 확인과 보내기, 택시 부르기, KT와 삼성에서는 스마트 가전제품 제어, 리모컨 조작 등의 음성비서 기능이 차별화되어 있다. 컨슈머인사이트나 미국 라이브퍼슨의 조사에 따르면 우리나라나 미국에서 음성비서를 가장 많이 활용하는 부분은 단연코 음악 감상이다. 그 다음으로 는 우리나라의 경우 날씨정보, 미국의 경우에는 알람맞추기가 인기 있는 기능이다. 나는 개인적으로 위 기능 외에도 메모, 교통정보, 전화걸기와 정보검색 등에서 보통 사람들보다 자주 음성비서를 사용하는 습관이 있다. 특히 운전 중에 불가피하게 스마트폰을 사용해야 할 경우에는 항상 음성비서 기능을 사용함으로써 가능한 한 위험발생 요소를 최소화하려고 한다.

재작년 말부터 챗gpt가 전 세계를 뜨겁게 달구고 있는 가운데 작년 3월 국내 AI스타트업체인 '업스테이지'에서 OCR(문자인식기술)과 챗gpt를 결합하여 카카오톡에서 실시간 채팅서비스를 시작하였다. 아숙업(AskUp) 이란 이름으로 런칭하여 이 서비스는 인공지능AI와 실시간 대화를 하면서 필요한 정보를 얻거나 문제를 해결해 주기도 한다.

사용방법은 간단하게 카카오톡에서 askup 채널을 추가만 하면 사용을 할 수가 있다. 기존 챗gpt를 사용하려면 OpenAi 상의 홈페이지에 접속하여 로그인을 한 뒤 사용해야 하지만 아숙업은 우리가 항상 사용하는 카카오톡에서 채널만 추가하고 사용을 하면 되니 접근성에서 엄청나게 편리하다 할 수 있다. 챗

gpt3.5의 API(응용프로그램 인터페이스)를 사용해 서비스 하는 아숙업은 2021년까지의 정보를 기반으로 응답을 해주므로 최신 뉴스나 날씨 같은 정보는 제공해주지 못한다. 하지만 여행정보, 요리법, 프로그램 코딩 같은 기능은 챗gpt와 거의 유사한 답을 얻어 낼 수 있다.

또한 그림 파일을 첨부하면 이미지 안에 있는 글자를 자동으로 판독해주는 OCR서비스가 눈에 띈다. 이 기능은 쇼핑할 때 작은 글씨 때문에 곤란을 겪는 중장년과 시니어 세대들에게 특히 유용하다 할 수 있다. 판독한 내용을 번역도 해주니 해외제품 쇼핑에서도 매우 편리하다. 다시 한 번 이야기 하지만 아무리 좋은 기능도 반복해서 사용하고 습관화 하지 못하면 내 것이 되지 못한다. 항상 내 곁에 같이 있는 스마트 폰을 놀리지 말고 시간이 날 때 마다 음성비서를 잘 활용해보길 바란다.

내비게이션 속의 인공지능(AI)

'AI 내비게이션 자동차', 미드저니를 활용한 이용호 그림

요즘 대부분의 사람들이 차량에 장착된 내비게이션이나 스마트폰용 내비게이션 앱을 이용해 실시간 교통상황을 반영하여 가장 최적의 도로정보를 받아가며 운전을 하고 있다. 오늘은 내비게이션에 들어있는 인공지능(AI) 기술에 대해 이야기 해보려고 한다.

내가 부산에서 직장생활을 하던 1990년대에는 지금처럼 내비게이션이 없었다. 업무 차 지방 출장을 갈 때는 큰 지도책을 보고 미리 가는 경로를 파악해 머리에 입력한 후 고속도로와 국도 번호를 따라 목적지를 찾아가곤 했었다. 평소 우뇌가 발달한 길도사들은 머릿속에 가야할 경로가 잘 입력되어 목적지까지 큰 실수 없이 갈 수 있었지만 상대적으로 우뇌가 발달되지 못한 길치들은 매번 가는 길에서 이탈하여 헤매곤 했다. 다행히 나는 선천적으로 길을 찾는 감각이 발달해 장거리 출장지라도 거의 실수 없이 잘 찾아다니곤 했다.

당시에 남들과 다르게 내가 잘 이용하던 서비스가 있었다. MBC에서 매시간 57분이 되면 리포터들이 나와서 도시의 주요교통 상황을 알려주던 '57교통정보' 프로그램이 있었다. 약 2분정도 방송을 듣다보면 현재 어디서 교통이 막히고 있는지 비교적 상세히 알 수가 있었다. 하지만 이것은 한 시간마다 제공되는 서비스였기 때문에 급히 외근을 나가야 할 때는 유용하지 못했다. 그러다 우연히 방송국 '57교통정보' 담당부서로 전화를 걸어 현재 교통상황에 대해 물어 본적이 있었는데 리포트가 너무도 친절하고 낭랑한 목소리로 실시간 교통상황을 알려주는 행운을 얻게 되었다. 그 뒤로는 매번 출발지와 목적지를 알려주고 가장 빨리 갈 수 있는 길을 안내받으며 다른 사람들보다 좀 더 편안한 운전을 할 수 있었다.

벤처투자 열풍이 전 세계를 뜨겁게 달구던 2000년에 나도 엔젤투자를 받아 한국의 실리콘밸리로 불리던 강남 테헤란로에서 회사를 설립하여 운영한 적이 있었다. 서울은 부산보다 훨씬 교통이 복잡해서 서울생활 초기에 운전을 하는데 많은 어려움이 있었다. 길도사의 근성을 살려 큰 서울경기지도 책을 사서 매일 퇴근 후 서울과 경기지역의 주요도시와 거리들을 열심히 외웠던 기억이 있다. 특히 한강의 다리 이름들을 모두 외우고 어디서 우회전이나 좌회전으로 강변북로나 올림픽대로로 진입이 가능한지 하나하나를 머릿속에 상세히 기억했다.

하지만 거리를 기억한다고 해도 실시간 교통 상황을 파악하기는 어려워 차가 막힐 때마다 답답하기 그지없었다. 부산에서처럼 서울 '57교통정보' 담당부서에 연락하니 서울에서는 그런 안내는 하지 않으니 교통방송을 들으라는 냉정한 리포터의 반응에 당황한 적도 있었다. 이리저리 방법을 찾던 중 SKT에서 가입자에게 1건당 80원 유료로 교통정보를 제공하고 있다는 것을 알게 되었고 한동안 이 서비스를 잘 이용하였다. 내가 출발지와 목적지를 말을 하면 경로 상의 교통상황을 자동으로 안내해주는 서비스였다. 나중에 알게 되었지만 이게 내가 처음으로 경험한 인공지능 음성인식기술 STT(Speech to Text)와 TTS(Text to Speech)이었다.

얼마 뒤 다른 경로를 통해 인터넷으로도 실시간 교통정보를 제공하고 있다는 것을 알게 되었고 한동안 무료로 이 서비스를 잘 이용하기도 했다. 이 서비스는 우리나라에서 처음으로 내비게이션을 연구하던 대우자동차 연구원들이 독립하여 만든 회사에서 제공하고 있었고 이 기술을 기반으로 SKT에 내가 유료로 듣던 교통정보를 제공하고 있었다. 23년 전의 일이라 인터넷 검색을 해도 지금은 정확한 회사 이름을 찾을 수 없어 안타깝다. 그 시절 나는 운전을 할 때 하느님이 세상을 내려다보듯이 전체 지도위에 교통상황을 한눈에 바라보고 안내를 해주는 서비스가 있으면 좋겠다고 자주 생각했었다. 그것이 불과 몇 년 뒤에 현실이 되어 내비게이션의 버드뷰 기능으로 만날 수 있어 누구보다 반가웠다.

　초기 내비게이션은 지금처럼 실시간 교통정보가 제공되지 않고 단순히 지도상 목적지까지 가장 빠른 길을 안내를 해주는 서비스만 제공되었다. 2007년 스마트 폰이 나오고 난 뒤 SKT 회원들에게 제공되는 티맵(Tmap)의 실시간 교통정보 내비게이션 앱이 많은 인기를 얻었다. 그러다 어느 순간 티맵이 다른 통신사 고객들도 사용할 수 있도록 서비스를 오픈했었는데 처음에는 이런 고급서비스를 왜 무료로 제공하는지 의아했었다. 이후 인공지능 분석을 위해 보다 많은 데이터를 수집하기 위한 목적이 있다는 것을 알게 되었지만 덕분에 많은 사람들이 실시간으로 제공되는 교통정보로 편리한 생활을 할 수 있었다.

　지금은 카카오와 네이버에서도 모두 인공지능을 기반으로 한 스마트 폰 내비게이션 앱을 서비스하고 있다. 빅데이터를 기반으로 한 실시간 교통정보 제공으로 인해 우리는 교통 체증이 심한 도로에서도 그나마 빨리 목적지까지 이동을 할 수 있게 되었다. 요즘 내비게이션은 목적지 탐색을 좀 더 안전하게 하기 위해 음성인식기술도 제공하고 있다. 나는 약 20년 전부터 음성인식기술 STT와 TTS에도 관심이 많았는데 이 부분에 대해서는 차후 별도로 이야기할 생각이다. 다만 스마트 폰이 내 음성을 잘 알아듣게 하고 편리하게 사용하려면 평소에 내 음성을 잘 알아듣도록 훈련을 해둘 필요가 있다. 평소 말투보다 좀 더 또박또박 천천히 말을 해야 한다, 음성인식기능은 내비게이션 뿐 만 아니라 카카오톡, 문자메세지, 정보검색 시에도 매우 유용하게 사용될 수 있다.

20년 전 지도책을 보고 운전하면서 꿈꾸던 세상이 일상이 되었고, 이제는 무인 운전 기술도 조금씩 도입되어 고급 승용차 운전자들이 편리하게 사용을 하고 있다. 생성형 인공지능 챗gpt가 선도하는 AI 기술이 급격히 발전하여 몇 년 이내에 완벽한 무인자동차가 등장하게 될 것이라는 것을 지금은 누구도 의심치 않게 되었다.

음악과 오디오 자동 생성 AI 탐구

[사진출처=픽사베이]

인공지능의 오픈소스 개발로 차별화를 가져가려는 메타가 라마에
이어 2023년 8월 초에 "오디오크래프트(AudioCraft)"라는 오디오
와 음악 특화 생성 AI의 오픈소스 공개하였다. 이 도구는 텍스트를
입력하는 것만으로 음악을 작사·작곡하거나 사운드 효과를 만들 수
있다. 오디오크래프트는 아래의 세 가지 모델로 구성되어 있다.

첫 번째, 뮤직젠(MusicGen)은 텍스트로 음악 장르, 스타일, 악기 등을 지정하면 해당하는 음악을 생성한다. 예를 들어, '힙합 비트에 피아노와 바이올린이 어울리는 곡'이라고 입력하면 그에 맞는 음악을 만들어 준다. 지난 6월에, 메타는 총 20,000시간의 다양한 종류의 음악에 대해 훈련된 프로그램인 뮤직젠을 소개한 바 있다. 이 음악의 대부분은 저작권이 있고, 일부는 이 사용을 위해 특별히 허가되었다. 메타는 또한 사람들이 그 프로그램의 작동 방법을 가르치기 위해 그들만의 음악을 사용하도록 허용하는 학습 코드를 공유했다.

두 번째, 오디오젠(AudioGen)은 텍스트로 사운드 효과나 배경음을 지정하면 해당하는 오디오를 생성한다. 예를 들어, '사이렌 소리가 가까워졌다가 멀어진다.'라고 입력하면 그에 맞는 오디오를 만들어 준다. 오디오젠은 프롬프트에서 사람의 목소리를 생성할 수 있는 이미지 생성 AI와 유사한 '확산 기반' 모델이다. 그것이 사용하는 방법은 오디오든 이미지든 시작 데이터, 즉 전적으로 소음을 점진적으로 제거하는 것을 포함한다. 원하는 소리에 단계적으로 더 가까이 이동함으로써, 오디오젠은 주어진 지시에 기초하여 특정한 소리 또는 목소리를 생성할 수 있다.

세 번째, 엔코덱(EnCodec)은 오디오 파일을 압축하거나 복원한다. 압축률이 높으면서도 원본과 유사한 품질의 오디오를 만들 수 있다. 엔코덱은 신경망 기반의 오디오 압축 코덱으로, 모든 종류의 오디오를 압축하고 원래의 신호를 복원하도록 특별히 훈련된 것이다. 낮은 잡음으로 고품질의 음악을 제작하는 역할을 한다. 이 엔코덱을 사용하면 종종 사운드를 과도하게 조작할 때 발생하는 '아티팩트(Artifact)'가 적은 오디오를 만들 수 있다.

메타는 이번 발표에서 "오디오크래프트가 음악가와 사운드 디자이너에게 영감을 주고 새로운 방식으로 작곡을 할 수 있도록 돕는 도구이기 때문에 사람들이 오디오크래프트로 무엇을 만들지 기대된다"라고 말했다. 오디오크래프트의 모델과 코드는 깃허브를 통해 제공되므로 누구나 사용하거나 개선할 수 있다.

하지만 메타가 AI 기반 오디오 및 음악 생성기를 실험한 최초의 회사는 아니다. 이번 기회에 메타의 오디오크래프트 이전에 발표된 음악, 오디오 생성 AI에 대해서도 살펴보자.

첫 번째, 2020년 4월, 오픈AI(OpenAI)가 신경망을 사용해 원하는 장르 가수 스타일로 음악을 생성해주는 인공지능 '주크박스(Jukebox)를 블로그를 통해 먼저 공개한 바 있다. 주크박스는 발표 당시 더 빠른 속도와 잠재적으로 더 낮은 비용으로 새롭고 독창적인 음악을 만들 수 있게 함으로써 음악 산업에 영향을 미칠 수 있는 잠재력을 가지고 있어 영화, 비디오 게임 및 기타 미디어용 음악을 작곡하는 데 사용될 수 있다고 했다. 주크박스는 기존 노래의 패턴과 구조를 모델링하는 방법을 학습한 다음 해당 지식을 사용하여 새로운 음악을 작곡함으로써 음악을 생성하는 신경망이다. 주크 박스는 다양한 유형의 음악에 대해 모델을 조정하여 다양한 스타일과 장르의 음악을 생성할 수 있다. 또한 해당 오디오와 함께 MIDI 파일, 악보 및 가사의 방대한 데이터 세트에서 훈련된 뮤즈넷(MuseNet)이라는 별도 모델의 도움으로 가사와 노래하는 목소리까지 생성할 수 있다.

두 번째, 2022년 12월 발표된 '리퓨전(Riffusion)'은 시각 초음파를 사용해 텍스트로 음악을 생성하는 인공지능(AI) 모델이 있다. 이는 사운드의 시각적 표현을 생성하고 이를 오디오로 변환해 텍스트 프롬프트에서 음악을 생성한다. 리퓨전은 이미지 생성 AI '스테이블 디퓨전(Stable Diffusion)' 1.5 모델을 미세 조정하여 음향을 2차원 이미지로 표현하는 소노그램을 생성한다. 소노그램은 시간에 따른 음원 신호의 주파수 성분을 분석하는 그래프로, X축은 시간, Y축은 주파수를 나타낸다.

리퓨전을 개발한 포스그렌과 마르티로스는 초음파가 사진 유형이므로 안정된 확산으로 처리할 수 있다는 사실을 이용했다. 그들은 다양한 노래의 소노그램을 만들고 "블루스 기타", "재즈 피아노", "아프로비트(afrobeat)"와 같이 태그하면 안정적으로 미세 조정된 결과를 도출했다. 이 미세 조정은 특정 콘텐츠로 사전 훈련된 모델을 전문적으로 생성하도록 추가 훈련하는 것이 가능하고 이러한 결과로 리퓨전은 "재즈", "록" 또는 키보드 입력과 같은 음악이나 소리의 유형을 설명하는 텍스트 프롬프트를 기반으로 새로운 음악을 즉석에서 생성할 수 있다.

세 번째, 2023년 1월에 구글이 논문으로 공개한 음악 생성 인공지능(AI) 모델 "뮤직LM"도 있다. 이는 텍스트로 음악의 장르, 악기, 분위기 등을 입력하면 30초 분량의 음원을 만들어준다. 예를 들어 "플루트, 기타와 함께 차분하고 진정되는 명상 음악"이라고 입력하면 그에 맞는 음악이 생성된다. 뮤직LM은 구글의 텍스트 생성 AI인 Bard와 비슷한 방식으로 작동한다.

즉, 대량의 음악 데이터를 학습하여 새로운 음악을 만들 수 있다. 하지만 저작권 문제 등을 이유로 아직 출시 계획은 미뤄지고 있다. 구글은 이와 별도로 이미 Chrome Music Lab이라는 웹사이트에서 음악을 만들고 공유할 수 있는 다양한 실험을 제공하고 있다. Chrome Music Lab은 음악과 과학, 수학, 미술 등의 연관성을 탐색하고 학습하는 데 도움을 받을 수 있다.

위와 같은 음악과 오디오를 생성하는 AI 모델들은 음악과 오디오 생성 분야의 연구와 실용화에 획기적으로 기여할 수 있을 것으로 기대된다. 예를 들어, 게임 개발자들은 사운드 이펙트를 매우 쉽게 만들 수 있고, 음악가들은 새로운 장르나 스타일을 간단히 탐색할 수 있게 되었다. AI 모델로 음악과 오디오를 생성하는 시장은 매우 신속하게 발전하며 그 미래 전망은 매우 밝다고 할 수 있다.

하지만 이와 더불어 AI 모델이 음악과 오디오를 생성하는 시대에 저작권 관련 문제는 아직 해결되지 않은 복잡하고 민감한 문제이다.

다양한 국가와 기관들이 이 문제에 대해 법적 규제를 마련하기 위해 고민하고 있다. 현재 미국 저작권청은 전적으로 AI 모델로만 음악과 오디오를 생성한 경우, 이러한 작품들은 저작권의 보호를 받을 수 없다는 입장을 밝히고 있다. 이 경우 AI 모델이 사용한 트레이닝 데이터의 저작권자가 저작권 침해를 주장할 수도 있다.

이와 같은 이유로 저작권 관련된 이슈가 아직 정립되지 않은 현재는 인간의 창의성이 완전 배재된 채 완전히 AI로만 창작활동을 하는 것은 좀 더 조심스럽게 다가 가야할 문제라고 판단된다. 요즘 저작권, 특히 오디오 관련 저작권에 있어서는 저작권자들이 매우 엄격하고 적극적으로 대응을 하고 있는 게 현실이다. 심지어 초기에 저작권 문제가 발견되더라도 해당 채널이 성장할 때 까지 기다렸다가 나중에 큰 금액으로 소송을 제기하는 경우도 있기 때문에 콘텐츠를 제작하면서 매우 신중하게 고려해야 할 사항이다.

영화도 현장 촬영 없이 인공지능으로 만든다.

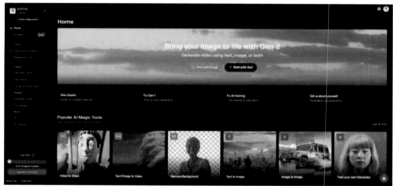

['Runway 홈 화면' 출처 : Runwayml.com]

　이제는 영화도 배우와 촬영감독 등 스텝이 없이 시나리오 작가와
영상편집자만 있으면 제작이 되는 시대가 도래 하였다. 가까운 미
래에 영화 한편 제작에 수백억 혹은 수천억 원이 들어가는 시대가
사라지고 소액의 투자로도 영화 제작이 손쉽게 되는 시대가 올 것
으로 예상된다. 제작 시간도 현저히 단축될 것이고 이는 유튜브 크
리에이터에게도 크게 영향을 줄 것으로 예상된다. Text to Video
기술이 인공지능을 만나서 이제는 영화제작 단계까지 실현 가능하
게 된 것이다.

한 때 콘텐츠 창작자를 위한 생성 AI를 개발하는 스타트업인 Runway가 Google, Nvidia, Salesforce 등으로부터 1억 4,100만 달러를 조달했다는 뉴스로 세인들의 각광을 받기 시작했다. Runway는 2018년 크리스탈 발렌수엘라, 알레한드로 마타말라, 아나스타스 저머니다스에 의해 설립되었다. 발렌수엘라는 뉴욕대학교(NYU)의 예술 학교에서 마타말라 및 저머니다스를 만나 AI의 창의적 잠재력에 대한 관심을 공유하기로 했다. 그 때부터 발렌수엘라, 마타말라, 저머니다스는 영화 제작자, 촬영 감독 및 사진작가를 위한 AI 기반 도구 모음을 구축하기 시작했다.

Runway의 초점은 특히 비디오 측면에서 생성 AI로 점차 전환되어 왔다. 그들의 현재 주력 제품은 Gen-2로, 텍스트 프롬프트나 기존 이미지로부터 비디오를 생성하는 AI 모델이다. Runway는 AI 기반의 독특한 비디오 편집 소프트웨어로, 30개 이상의 AI 매직 툴과 실시간 협업 접근 방식을 갖추고 있어 콘텐츠 창작 분야의 환경을 새롭게 형성하고 있다. Runway는 단순한 비디오 편집 소프트웨어가 아니다. 2019년 1월 발렌수엘라에 의해 출시된 이 소프트웨어는 복잡한 코딩이나 복잡한 편집 기술 없이 창작자들의 비전을 실현할 수 있도록 돕는 혁신적인 도구이다. 머신러닝의 힘과 직관적인 디자인을 결합하여 비교할 수 없는 비디오 편집 경험을 제공하고 있다.

AI 매직 툴을 사용한 간편한 편집으로 Runway는 사용자 친화적인 인터페이스와 다양한 기능을 제공하여 비디오 편집에 임하는 사람들의 장벽을 없앴다. 마스크, 색상 보정, 합성, VFX 등의 다양한 기능을 제공하고, 동적 키잉 기능으로 비디오를 빠르게 그린 스크린 캔버스로 변환하여 편집 과정을 가속화하기도 한다. Runway는 영상에 깊이와 차원을 추가하는 정확하고 독특한 깊이 맵을 제공한다. 상대적인 움직임 분석을 통해 객체의 움직임을 이해하는 광학 플로우 기능은 창작물에 세련미를 더해준다.

Runway는 편집의 미묘함을 이해하고 있어, 원치 않는 요소를 영상에서 쉽게 지우는 자동 복구 기능을 통합하고 있다. 창작자들은 멀티 스트림 비디오 포맷의 힘을 활용하여 콘텐츠의 시각적 매력을 향상시킬 수 있으며, 고급 AI 생성 분석 및 메타데이터에 접근할 수 있다.

무엇보다도 큰 장점은 Runway의 사용이 매우 쉽다는 것이다. 예를 들어 사진 색칠과 같은 간단한 작업을 하기 원하면, Runway 공식 웹사이트(https://app.runwayml.com)를 방문하고 구글 계정이나 이메일을 사용하여 로그인 -> 편집 요구에 맞는 모델을 선택 -> 원하는 콘텐츠를 입력 -> 원하는 출력 형식을 선택 -> 작업 된 사진의 변화를 확인만 하면 된다.

Runway가 제공하는 기능들은 복잡한 과정을 매우 단순화하였다. 오디오 편집에서는 자동 소음 감소, 자동 박자 감지, 보컬 향상, 배경 소리 제거, 볼륨 조절, 보컬 믹싱과, 비디오 처리에서는 자동 자막 생성, 필터 추가, 이미지 교체, 배경 지우기, 밝기 조절, 색상 보정 등의 기능을 사용하기 쉽게 배치하여 영상 편집의 초보자도 쉽게 사용이 가능하게 만들었다.

가격 플랜은 월 12달러, 28달러, 76달러의 단계로 스탠다드, 프로, 무제한 등의 유료 모드가 있지만 기본 125 크레딧을 제공받아 16초 길이의 비디오 3개를 제작해 볼 수 있는 무료버전도 제공하고 있으니 관심이 있다면 유료 결제 전에 잠시 경험해 보는 것도 좋을 듯하다.

Runway의 장점을 몇 가지 나열해보면 첫 번째, AI를 통한 효율성이다. Runway는 편집 워크플로우를 최적화하여 편집자의 작업 부담과 어려움을 줄이면서 콘텐츠의 본질에 집중할 수 있도록 한다. 두 번째는 무한한 창의성이다. 다양한 매직 툴의 결합은 무한한 창의적 가능성을 탐색할 수 있게 해준다. 마지막으로 실시간 협업이 가능하다. 원격으로 작업하면서 창작물을 원활하게 공유함으로써 협업 창의성을 발전시킬 수 있다.

Runway는 도구 모음을 구축하는 것 이상의 야망을 가지고 있다. 이 회사는 최근에 "Runway Studios"라는 엔터테인먼트 부문을 설립하여 기업 고객을 위한 제작 파트너로서도 활동하고 있다. 또한 AI로 완전히 또는 부분적으로 제작된 영화를 전시하는 최초의 행사 중 하나라고 주장하는 AI 영화제도 시작했다. 발렌수엘라는 Runway의 고객 기반은 이제 포춘 500대 기업과 글로벌 2000 기업, 그리고 "수백만"의 개인 창작자들에 이르고 있다고 말하고 있다.

오늘날 콘텐츠 생성은 비싸고 시간이 많이 걸린다. 모든 형태의 생성 AI 주변의 거대한 홍보를 고려할 때 기업 고객 기반의 성장은 놀라운 일이 아니다. 최근 미국 FreshBooks 조사에서는 25%의 기업들이 생성 AI 도구를 테스트하고 있다고 하고, 약 33%가 내년에 업무에 생성 AI를 사용할 계획이라고 한다.

비디오 편집 분야에서 Runway는 사용자 친화적인 디자인과 AI 혁신을 결합하여 선두의 위치에 자리 잡고 있다고 볼 수 있다. 창작자들이 장벽을 넘어 창의력을 발휘하고 전 세계 관객들과 공감할 수 있는 콘텐츠를 만들 수 있도록 도움을 받을 수 있게 되었다. 영화산업과 유튜브를 포함한 동영상 제작 분야에서 비약적인 발전을 향한 흥미진진한 여정이 시작되었고, Runway를 시작으로 앞으로 많은 회사들이 우후죽순처럼 생겨나리라 예상된다.

이 글을 편집하는 2024년에도 Runway의 명성은 여전하지만 OpenAI사의 Sora와 이후 발표된 중국의 KLing의 등장은 AI 비디오 시장에 큰 변화를 일으키고 있다.

인공지능 AI와 마케팅은 찰떡궁합

[사진출처=픽사베이]

　인공지능 AI는 이미 마케팅 분야에서 많은 영역에서 활용되고 있다. 최근 몇 년간 인공지능의 발전으로 전통적인 마케팅 방법론에 혁명과도 가까운 변화가 있었고, 효율성과 정확도도 크게 향상되었다. 이번 글에서는 마케팅 분야에서 AI가 활용되는 네 가지 주요 영역에 대해 이야기 해보고자 한다.

　첫 번째, 고객 세분화와 타깃팅 부분이다. 고객 세분화란, 고객의 다양한 특성에 따라 그룹을 분류하는 것을 말한다. 전통적인 세분화 방식에는 지리적, 인구통계학적, 심리적, 행동적 기준이 있다. 그러나 AI의 등장으로 고객 세분화의 정도가 더욱 정밀해졌다. AI는 대규모의 데이터를 빠르게 분석하며, 고객의 구매 패턴, 온라인 행동, 그리고 반응까지도 파악한다.

예를 들어, 국내의 유명한 패션 브랜드인 LF에서는 AI를 활용하여 고객들의 구매 기록을 기반으로 SS와 FW 어느 시즌에 더 많은 구매가 이루어지는지, 어떤 색상의 옷을 선호하는지, 그리고 어떤 시간대에 가장 많은 구매가 이루어지는지 등을 파악하고 있다.

이러한 세분화를 바탕으로 이 기업은 타깃팅, 즉 가장 적합한 고객 집단을 대상으로 광고나 프로모션을 진행한다. AI의 도움으로 기업들은 그룹별로 개인화된 메시지나 제안을 보낼 수 있게 되었으며, 이로 인해 광고의 효율성과 효과가 크게 향상되었다.

하지만 AI를 활용한 마케팅에는 주의점도 있다. 고객 데이터의 보안과 개인정보 보호가 핵심적인 이슈로 부상하고 있다. 따라서 기업들은 AI 기술의 발전과 함께 고객의 정보를 안전하게 관리하는 방안도 동시에 고려해야 할 숙제로 부상하고 있다.

두 번째, 채팅봇과 고객 서비스 자동화 부분이다. 채팅봇은 웹사이트나 메신저 플랫폼에 통합되어, 사용자의 질문에 실시간으로 응답하는 프로그램을 의미한다. AI 기반의 채팅봇은 단순한 스크립트에 의존하는 것이 아니라 사용자의 문의를 해석하고, 가장 적절한 답변을 제공한다. 이로 인해 고객은 24시간 언제든지 기업과 소통할 수 있는 채널을 갖게 되었다.

예를 들어, 국내의 대표적인 온라인 쇼핑몰인 쿠팡에서는 AI 채팅봇을 활용하여 고객의 주문 및 배송 관련 문의, 제품 정보, 교환 및 환불 절차에 대한 안내 등 다양한 서비스를 제공하고 있다. 이로 인해 기업은 고객 서비스 관련 인력 비용을 절감할 수 있을 뿐만 아니라 고객 만족도 역시 향상되었다. 또한, 채팅봇은 단순한 문의 응답뿐만 아니라, 고객 데이터를 분석하여 개인화된 마케팅 제안까지도 할 수 있다. 고객의 구매 기록, 검색 기록, 클릭률 등의 데이터를 분석하여, 그에 맞는 제품이나 서비스를 추천한다.

하지만 AI를 활용한 채팅봇의 도입에는 신중을 기해야 한다. 고객의 문의나 요구가 복잡해질 경우, 채팅봇만으로는 충분한 서비스를 제공하기 어려울 수 있다. 이런 경우, 실제 고객 서비스 담당자와의 연결이 필요하다. 또한, 고객 데이터의 보안과 개인정보 보호는 기업의 주요 책임 중 하나로 남아 있다.

세 번째는 예측 분석 분야이다. 예측 분석은 과거의 데이터를 기반으로 미래의 트렌드나 사건을 예측하는 기술이다. AI와 머신러닝 알고리즘이 함께 사용되면, 기업들은 고객의 구매 패턴, 제품의 인기도, 심지어는 특정 광고 캠페인의 성공 가능성까지도 미리 예측할 수 있다.

예를 들어, 국내 대표적인 화장품 회사인 아모레퍼시픽에서는 새로운 제품을 출시하기 전에 예측 분석을 활용하여, 어떤 연령대나 성별의 고객들이 그 제품에 더 큰 관심을 보일지, 어떤 마케팅 채널이 그 제품의 판매를 가장 크게 촉진할지 등의 정보를 미리 알아보고 있다.

더 나아가, 예측 분석은 마케팅 예산의 효율성도 크게 높여준다. AI는 다양한 데이터 소스와 변수들을 빠르게 분석하여, 기업의 리소스를 어디에 집중해야 가장 큰 효과를 볼 수 있을지의 방향을 제시해 준다.

그렇다면 이 모든 장점에도 불구하고 예측 분석에는 주의할 점이 없을까? 물론 있다. 먼저, 예측은 100% 정확하지 않다는 점을 항상 명심해야 한다. 과거의 데이터는 미래의 정확한 지표가 될 수는 있지만, 예측의 오차 범위나 가능성을 고려하지 않으면 큰 실수를 범할 수 있다. 또한, 고객 데이터의 수집과 활용에서 발생하는 윤리적 문제와 개인정보 보호 문제는 반드시 고려돼야 한다. 고객의 신뢰를 잃게 된다면, 그 비용은 어떤 기술로도 회복하기 어렵다.

최종적으로, AI와 예측 분석은 마케팅 전략의 강력한 도구로써 그 가치를 입증하고 있다. 하지만 그것만이 답은 아니다. 기술의 발전과 함께 인간의 직관과 창의성, 그리고 고객과의 진심어린 소통의 중요성을 잊어선 안 된다.

　네 번째는 콘텐츠 생성과 추천 분야이다. 마케팅의 큰 중심은 항상 '콘텐츠'에 있다. 그러나 현대 디지털 시대에서는 단순한 콘텐츠 제작이 아닌, AI를 통한 개인화된 콘텐츠 제작 및 추천이 뜨거운 화두로 부상하고 있다. Netflix나 YouTube와 같은 플랫폼은 사용자의 시청 기록을 상세하게 분석하여 개인화된 콘텐츠 추천을 제공하고 있다.

　AI를 활용한 콘텐츠 제작은 기업들에게 무한한 가능성을 제공한다. AI는 대량의 데이터를 분석하고, 그 중에서 트렌드나 관심사를 파악하여 콘텐츠를 자동으로 생성할 수 있다. 예를 들어, 특정 제품에 대한 고객의 반응이나 리뷰를 분석하여, 그에 맞는 광고 문구나 비디오를 제작하는 것이 가능하다.

　또한, AI는 사용자의 행동 패턴, 구매 이력, 검색 기록 등을 통해 개인에게 최적화된 콘텐츠를 제공하는 '추천 시스템'을 구축하는 데 있어 핵심적인 역할을 한다. 그러나 AI를 활용한 콘텐츠 제작과 추천에는 몇 가지 주의점이 있다. 첫째, 과도한 개인화는 고객에게 불편함을 줄 수 있다. 고객이 느끼는 '개인의 선호만을 반영한 광고'의 과도한 노출은 오히려 반발을 살 수 있다.

그리고 AI의 추천은 다양성을 제한할 수 있다. 사용자가 지속적으로 특정 종류의 콘텐츠만을 추천받게 되면, 새로운 콘텐츠나 다른 관점에 대한 접근이 제한될 수 있다. 그러므로 AI를 활용한 콘텐츠 생성과 추천에서는 데이터의 질과 양이 중요하다. 부정확하거나 편향된 데이터는 잘못된 콘텐츠나 추천 결과를 가져올 수 있다.

다시 한 번 정리하자면 AI의 활용은 마케팅 분야에서 콘텐츠 제작과 추천의 효율성을 크게 향상시킨다. 그러나 동시에 데이터의 품질 관리와 고객의 경험에 대한 세심한 주의가 필요하다. 기술의 발전만큼이나, 그를 활용하는 방식과 전략이 중요하다는 것을 잊어선 안 된다.

이 외에도 이미지와 음성 인식, 감정 분석, 가격 최적화와 같은 마케팅 분야에서도 AI는 다양하게 활용되고 있으며, 그 활용 범위는 계속 확대되고 있다. AI 기술의 발전에 따라 마케팅 전략과 방식도 지속적으로 진화하게 될 것으로 기대된다.

구글 렌즈를 통해서 본 인공지능의 혁신적 활용

['구글 렌즈의 활용' DALL-E3로 이용호 그림]

인공지능 강의에서 스마트폰 내의 인공지능에 대해서 이야기를 하다가 구글 렌즈의 사용빈도가 궁금해 참석자들에게 물어 보았다. 그런데 그 자리에 참석한 누구도 구글 렌즈를 사용해 본적이 없다는 사실에 깜짝 놀랐다. 강의 참석자들이 40대 후반 이상이라는 것을 감안하더라도 뜻밖의 결과였다. 이러한 경험이 계기가 되어 사용하면 너무도 편리한 구글 렌즈 기능에 대해 글을 쓰고자 한다.

먼저 구글 렌즈의 역사에 대해 살펴보면 구글 렌즈는 2017년에 구글 포토 및 어시스턴트의 일부로 세상에 데뷔했다. 시각적인 분석을 통해 관련 정보를 불러올 수 있도록 설계되었었다. 예를 들어, 기기의 카메라를 물체에 비추면 구글 렌즈가 물체를 식별하고 꽃의 종류를 식별하거나 레스토랑에 대한 리뷰를 제공하는 등 상황별 정보를 제공하였다.

2018년과 2019년에 걸쳐 구글은 구글 렌즈의 기능과 범위를 계속 확장했다. iOS 기기에서 사용할 수 있게 되었으며 구글 자체 Pixel 휴대폰을 넘어 다양한 안드로이드 스마트폰에 통합되었다. 이미지 속 텍스트를 읽고 이해하는 기능과 같은 새로운 기능도 추가되어 실제 문서에서 텍스트를 복사하거나 언어를 번역하는 등의 작업에 대한 유용성이 향상되었다.

2020년 이후 현재까지 최근 몇 년 동안 구글 렌즈는 기술이 더욱 향상되었다. 특히 한 장면에 있는 여러 물체를 인식하는 속도가 더욱 정확하고 빨라졌다. 또한 이 앱은 구글 검색 및 지도와 같은 다른 구글 서비스 및 제품과 더욱 통합되기도 했다. 예를 들어, 사용자는 이제 랜드마크나 그림을 카메라로 가리키면, 구글 렌즈는 구글의 방대한 검색 데이터베이스를 활용하여 이에 대한 자세한 정보를 제공해준다.

구글 렌즈는 스마트폰에 기본적으로 설치되지 않아 모르는 사람도 있을 것이다. 이것이 위에서 말했듯이 지인들이 거의 구글 렌즈를 사용해보지 못한 이유가 될 수 있을 것이다. 구글 렌즈는 구글 플레이 스토어에서 쉽게 찾을 수 있으니 설치를 권한다. 구글 렌즈를 실행하면, 스마트폰 활용의 행복감이 갑자기 몇 배로 증대된다고 확신할 수 있다.

구글 렌즈의 가장 눈에 띄는 기능 중 하나는 객체 및 이미지 인식이다. 이 기능을 통해 사용자는 스마트폰의 카메라를 사용하여 주변의 물체나 이미지를 분석하고 관련 정보를 얻을 수 있다. 제일 먼저 물체 인식 기능이다. 만약 당신이 식물을 발견했지만 그 이름을 모를 때 구글 렌즈를 사용하여 그 식물을 촬영하면, 앱은 해당 식물의 이름과 관련 정보를 제공해준다.

두 번째는 텍스트 인식이다. 구글 렌즈는 이미지에서 텍스트를 인식하고 번역할 수도 있다. 예를 들어, 영어로 된 메뉴판을 스캔하면, 구글 렌즈는 그 내용을 한국어나 각국의 언어로 번역해 줄 수 있다.

세 번째는 랜드마크 인식이다. 여행 중에 유명한 건축물이나 랜드마크를 만날 경우, 구글 렌즈를 사용하여 그 건축물의 사진을 찍으면, 앱이 해당 랜드마크에 대한 역사적 정보나 중요한 사실을 제공해준다.

네 번째는 상품 검색이다. 상점에서 특정 상품을 찾고 있을 때, 그 상품의 사진을 찍으면 구글 렌즈가 그 상품이나 유사한 상품의 구매처를 찾아준다.

다섯 번째는 텍스트 복사 기능이다. 구글 렌즈는 이미지 속 텍스트를 복사하여 클립보드에 저장하는 기능도 제공한다. 이를 통해 사용자는 문자나 숫자 등을 수동으로 입력하지 않고 빠르게 정보를 복사할 수 있다. 예를 들어, 당신이 잡지에 인쇄된 이메일 주소를 복사하고 싶을 때, 구글 렌즈로 해당 부분을 스캔하면 이메일 주소가 클립보드에 복사된다. 그런 다음 이를 이메일 발송 주소 란에 붙여 넣어 사용할 수 있다.

여섯 번째로 구글 렌즈는 듣기 기능도 제공한다. 스마트폰 카메라로 찍은 사진 속 모든 텍스트를 읽어주는 기능이다. 세계 각국의 언어가 대부분 가능하므로 이를 통해 언어 학습이나 정보 접근성이 향상될 수 있다.

일곱 번째, 공부에도 많은 도움을 얻을 수 있다. 구글 렌즈는 학생들이 복잡한 문제나 개념을 이해하는 데 도움을 줄 수 있다. 예를 들어 수학을 전공하는 학생이 수학 문제를 스캔하면 구글 렌즈가 단계별 해결책이나 설명을 제공해 주기도 한다.

위와 같이 많은 기능들이 있어 언어 장벽을 극복하는 데 큰 도움이 되기 때문에 해외여행을 할 때 구글 렌즈를 가장 유용하게 사용된다. 낯선 나라에 가서 간판, 메뉴, 교통표지판, 상품 정보를 읽기 어려울 때 구글 렌즈만 있으면 거의 모든 것을 즉시 해결할 수 있다. 구글 지도와 함께 구글 렌즈는 여행의 필수 아이템이라고 할 수 있다.

이번에는 구글 렌즈에 대해서만 설명했지만, 네이버에서도 렌즈 기능이 있어 구글 렌즈와 유사한 서비스를 하고 있다. 다음에 기호가 되면 네이버 렌즈에 대해서도 별도 글에서 다뤄볼 예정이다.

편리한 기능은 기능의 유무만 확인하는데 그치지 않고 평소 필요할 때 마다 사용하는 습관을 길러야 비로소 자기 것이 된다. 이번 기회에 구글 렌즈의 사용을 습관화하여 행복지수를 향상시켜보자. 인공지능은 우리가 인지하지 않더라도 이미 내 생활 속에 깊숙이 스며들어 있다.

◇◆◇◆◇

4장. AI는 혁명이다

챗gpt시대, GPU가 왜 중요한가?

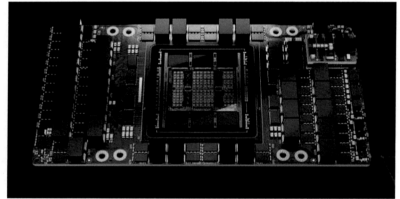

H100 GPU [사진출처=엔비디아]

챗gpt, 생성형 AI와 관련하여 항상 화두가 되고 있는 것이 있다. GPU가 바로 그것이다. 이 칩은 생성 AI의 핵심이라 할 수 있는 대형언어모델(LLM)의 학습과 운영을 담당하고 있기 때문이다. 오래전부터 그래픽카드용 칩 제조회사의 선두주자인 엔비디아(NVIDIA)가 생성 AI용 GPU H100을 내 놓으면서 이 회사의 주식에 전 세계 투자자의 관심이 몰리게 된 것은 당연지사라 할 수 있다.

더구나 글로벌 LLM 업체인 MS, 구글, 메타, 테슬라, 아마존을 포함한 전 세계 LLM 업체들이 경쟁적으로 대규모 컴퓨팅 시스템을 구축하면서 GPU 칩은 심각한 부족한 현상을 일으키고 있는 실정이다. 이번 글에서는 CPU와 GPU의 차이, GPU의 개발 역사와 활용부문 그리고 미래전망 등에 대해 살펴보고자 한다,

우선 CPU(중앙 처리 장치)와 GPU(그래픽 처리 장치)의 기능과 차이점에 대해 살펴보자.

첫 번째, 기능과 아키텍처 부분에서 CPU는 순차적인 실행이 필요한 범용 처리 및 처리 작업을 위해 설계되었다. 일반적으로 복잡한 계산 및 의사 결정에 최적화된 몇 개의 코어가 있다. GPU는 병렬 처리를 처리하는 데 특화되어 그래픽 렌더링과 동시에 수행할 수 있는 연산에 적합하다. 동시 실행을 위해 설계된 수백 또는 수천 개의 더 작은 코어가 포함되어 있다.

두 번째, 성능 및 효율성 측면에서는 높은 수준의 논리와 복잡한 명령이 필요한 작업에 탁월한 CPU는 대부분의 소프트웨어 응용 프로그램을 정확하게 처리할 수 있지만 대규모 병렬 계산에 어려움을 겪을 수 있다. 반면에 GPU는 이미지의 픽셀을 렌더링하거나 기계 학습에서 신경망을 훈련하는 것과 같이 많은 더 작은 병렬 작업으로 분해될 수 있는 작업에 이상적이다. GPU의 아키텍처는 CPU

에 비해 이러한 작업을 더 효율적으로 수행할 수 있도록 한다.

세 번째, 사용 및 응용분야에서는 CPU는 범용 적이고 운영 체제, 사용자 인터페이스 및 다양한 애플리케이션을 실행할 수 있다. 복잡한 알고리즘과 제어 구조가 필요한 작업에 적합하다. GPU는 주로 이미지를 렌더링하고 비디오를 처리하는 데 활용된다. 그러나 병렬 처리 기능은 딥 러닝 및 과학 시뮬레이션과 같은 분야에서 차별화된 가치가 발휘되고 있다.

요약하면, CPU는 범용의 순차적 작업을 처리하는 데 강점이 있는 반면, GPU의 아키텍처는 그래픽스 및 데이터 집약적 계산 같은 병렬 처리에 더 적합하다.

이번에는 GPU가 발전해 온 과정에 대해서 알아보자.

1980년대 초는 그래픽 가속기가 탄생 되는 시기였다. 1981년 IBM은 모노크롬 디스플레이 어댑터(MDA)와 컬러 그래픽 어댑터(CGA)를 도입하여 그래픽 하드웨어의 길을 열었다. 1982년에 최초의 3D 그래픽 가속기인 지오메트리 엔진이 스탠포드 대학에서 개발되었다.

1980년대 후반에는 3D 그래픽이 등장했다. 1986년 프린스턴 대학교에서 그래픽 인터페이스 프로세서(GRIP)가 설계되었으며, 이후

3D 그래픽 기술 발전에 매우 중요한 전환점이 되었다. SGI(Silicon Graphics Inc.)는 이 기간 동안 고급 3D 그래픽 워크스테이션을 시장에 내놓았다.

1990년대에 드디어 GPU가 세상에 나오게 되었는데 1995년 엔비디아가 설립되었으며, 1997년 RIVA 128을 처음 선보였다. "GPU"라는 용어는 1999년 지포스 256의 출시와 함께 엔비디아에 의해 대중화되었다. 이는 변환과 가벼운 계산을 모두 처리할 수 있는 세계 최초의 GPU로서 시판되었다.

2000년대 들어서는 확장성 및 프로그래밍 가능성이 돋보이는 시기였다. 2000년대 초반, DirectX와 OpenGL 표준은 그래픽 프로그래밍 발전을 도왔다. 2002년 엔비디아가 CG 프로그래밍 언어를 도입하고 ATI(현재 AMD의 일부)가 라데온 R300을 출시하면서 GPU는 더욱 강력하게 프로그래밍이 가능하게 되었다. 2006년 엔비디아에 의해 CUDA(Compute Unified Device Architecture)가 도입되었는데 이는 개발자들이 범용 컴퓨팅을 위해 GPU를 사용할 수 있게 해주었다.

2010년대는 통합과 광선 추적, 딥 러닝의 시기인데 2011년 AMD의 퓨전 APU에서 보듯이 CPU와 GPU를 하나의 칩으로 통합하는 것이 일반화 되었었다. 2018년 엔비디아의 튜링 아키텍처를 통해 포토리얼리즘 그래픽을 구현하는 기술인 실시간 광선 추적이 가능해졌다. 딥러닝과 인공지능(AI)에서 GPU는 필수가 되었으며, 구글의 TPU(Tensor Processing Unit), 엔비디아의 볼타(Volta) 등 다양한 아키텍처가 AI 워크로드를 위해 설계되었다.

2020년대 들어서서는 지속적으로 혁신과 전문화가 이루어져 전용 광선 추적 코어의 개발, AI 가속화 및 에너지 효율성 등과 같이 GPU 한계 능력을 계속해서 넘어섰다. 특정 산업분야, 애플리케이션, 심지어 클라우드 기반 GPU 서비스에 맞춘 특화된 GPU도 크게 확산 보급되었다. 특히 엔비디아가 2022년 10월, 생성 AI시장에서 메인칩으로 각광받고 있는 H100 GPU 모듈을 출시했는데 이는 호퍼 아키텍처 기반의 최신 GPU 시스템이었다.

이 GPU는 최대 256개까지 연결해 엑사 스케일 작업을 가속화할 수 있는 것이 특징적이다. 전용 트랜스포머 엔진으로 조 단위 매개변수를 가진 대형언어모델(LLM)을 처리하는 주요 역할을 한다. 참고로 오픈AI의 챗gpt에 개발에 활용된 슈퍼컴퓨터에는 H100보다 성능이 다소 떨어지는 암페어 아키텍처 기반의 A100 모듈 1만개를 적용하였다.

이와 더불어 엔비디아는 지난 8월초 'GH200'이라는 획기적인 AI용 슈퍼 칩의 세부사양을 공개하고 2024년 2분기부터 양산에 들어간다고 예고한 바 있다. GH200은 256개의 NVIDIA Grace Hopper 슈퍼 칩에 걸쳐 144TB의 대용량 공유 메모리 공간을 제공하는 AI용 슈퍼 칩이라고 한다. 동일한 회로 기판에서 NVIDIA Grace CPU와 NVIDIA Hopper GPU를 결합하여 대역폭을 7배 증가시키고 상호 연결 전력 소비를 5배 이상 줄일 수 있다고 한다.

GPU 시장에서는 엔비디아가 대항마 없이 독점적 위치를 확고히 다지고 있는 상황인데 그나마 AMD가 엔비디아를 추적하려고 안간힘을 쏟고 있는 중이다. 특히 엔비디아가 수출하지 못하고 있는 중국 시장을 겨냥한 GPU 개발에 입맛을 다시고 있다는 소식도 들려온다. 한편 GPU와는 별도로 AI용 필수 메모리인 '고대역폭메모리(HBM)' 부분에서 우리나라의 SK하이닉스와 삼성전자는 미국의 마이크론과 함께 치열한 경쟁을 하고 있는 실정이다.

GPU는 인공지능 시장뿐만 아니라 데이터 센터, 자율주행차 등 다양한 분야에서 활용되고 있다. 또한 GPU의 발전으로 레이 트레이싱, 메타버스, 심층 신경망, 자연어 처리 등의 기술 구현이 쉽게 이루어지게 되었다. 특히 레이 트레이싱 기술은 광선을 역추적 하여 장면과 객체의 조명 환경을 사실적으로 시뮬레이션 하는 그래픽 렌더링 기술인데 이는 연산 집약적인 기술이기 때문에 고성능 GPU가 필수적이다. 이 기술로 반사, 굴절, 그림자, 간접 조명 등의 효과를 실시간으로 렌더링할 수 있어 게임, 애니메이션, 영화 등의 분야에서 현실감 있는 그래픽을 만드는데 사용되고 있다.

GPU 시장은 2021년 42조 원 대비 2030년까지 약 596조 원으로 성장할 것으로 예측되며, GPU 기술은 미래 산업에 혁신적인 영향을 미칠 것이 분명하다. 다만 한 개의 독점적인 회사에만 의존하는 시장 형태에서 탈피하여 경쟁적인 구도로 신속히 자리 잡아야 할 것이다, 그래야 지금처럼 GPU 칩 가격이 30% 가까이 상승해도 구하기 어려운 비정상적인 시장형태가 사라질 것이기 때문이다.

구글 제미나이(Gemini)는 챗gpt를 추월할 수 있을까?

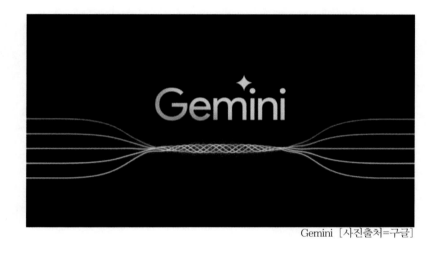

Gemini [사진출처=구글]

2023년 마지막 달에 구글에서 새로운 인공지능 툴 Gemini(제미나이)를 발표했다. 마치 한해가 끝나면 구글이 인공지능 분야에서 너무 뒤떨어질 것 같은 위기감 속에 발표된 것처럼 느껴졌다. 왜냐하면 이번 발표 중 대부분은 가장 성능이 좋은 Ultra에 관한 성능을 자랑 하는 것이었는데 정작 정식 서비스는 2024년 초로 연기가 되었기 때문이다. 일단 발표된 구글의 Gemini 기능은 AI 기술의 획기적인 발전을 보여준다는 점에서 눈길을 끌었기에 이번 글에서 세부적으로 살펴보고자 한다.

Gemini는 구글 I/O 2023에서 발표되었으며 구글의 '차세대 기반 모델'이다. Ultra, Pro, Nano의 세 가지 모델로 구성되며, 각각 다양한 수준의 작업과 애플리케이션에 맞게 맞춤화되었다. Gemini Nano는 Pixel 8 Pro에 통합되어 Gemini Nano로 구동되는 AI 기능이 내장된 최초의 스마트폰이 되었다.

기능적인 측면에서 Gemini는 텍스트, 코드, 오디오, 이미지 및 비디오를 이해하고, 작동하고, 결합할 수 있는 다중 모드 모델로 설계되었다. 이는 멀티모달 접근 방식을 통해 더 나은 이해, 추론 및 코딩 기능을 사용할 수 있다. 별도의 구성 요소를 훈련한 후 함께 연결하여 생성된 이전 다중 모드 모델과 달리 Gemini는 처음부터 TPU 4 및 TPU v5e를 사용하여 다양한 모드로 사전 훈련되었다.

Gemini는 시연에서 20만 건의 과학 연구 논문을 소화·정리하고, 파이썬, 자바, C++, Go 등의 언어로 고품질 코드를 이해·설명·생성하는 능력을 입증하며 정교한 추론을 선보였다. 성능 측면에서 Gemini Ultra는 텍스트 기반 벤치마크에서 GPT-4를 능가했으며 MMLU(대량 다중 작업 언어 이해) 벤치마크에서 인간 전문가를 능가한 최초의 모델이었다. 또한 다중 모드 벤치마크에서 Gemini

Ultra는 객체 문자 인식(OCR) 시스템에 의존하지 않고도 이미지, 비디오 및 오디오 테스트에서 최첨단 모델보다 성능이 뛰어났다.

아래는 Gemini Ultra와 챗gpt를 부문별로 상세히 비교해본 결과이다.

첫 번째는 문제 해결 및 추론 능력 (Problem-Solving and Reasoning Ability) 부문인데 Gemini Ultra는 MMLU (massive multitask language understanding) 벤치마크에서 인간 전문가보다 높은 성능을 보여, 90.0%의 점수를 기록했다. 이는 57가지 주제를 포함한 다양한 분야에서의 지식과 문제 해결 능력을 평가했다. 반면, GPT-4는 이 벤치마크에서 86.4%의 점수를 기록했다. 이러한 결과로 추론, 수학, 코딩 등의 텍스트 기반 벤치마크에서 Gemini Ultra가 GPT-4를 능가하는 것으로 확인되었다.

두 번째는 멀티모달 성능 (Multimodal Performance) 부문인데 이미지, 비디오, 오디오 테스트에서 Gemini Ultra는 GPT-4의 비주얼 버전을 능가했다. 특히, 이미지 벤치마크에서는 이전의 최고 모델보다 뛰어난 성능을 보였으며, OCR 시스템(이미지에서 텍스트를 추출하는 시스템)의 도움 없이도 높은 성능을 보였다.

세 번째는 안전성 및 편향 방지 (Safety and Bias Mitigation) 부문이다. 안전성 측면에서 Gemini는 구글의 AI 모델 중 가장 포괄적인 안전 평가를 받았으며, 멀티모달 능력에 대한 새로운 보호 조치가 마련되었다. 특히 편향과 독성에 대응하기 위한 조치가 강조되었다. ChatGPT-4도 안전성 및 편향 문제에 대해 상당한 관심을 기울이고 있지만, Gemini와 직접적인 비교 데이터에서는 나타자지 않았다.

이러한 데이터를 바탕으로 볼 때, 구글의 Gemini는 다양한 양식을 이해하고 처리하는 고급 기능을 제공하는 동시에 안전 및 편견 완화와 같은 중요한 측면을 다루는 AI 분야에서 중요한 진전을 보여주었다. 다양한 서비스와 장치에서 Gemini의 출시는 AI를 생태계에 깊이 통합하려는 구글의 노력을 강조되었다고 할 수 있다.

Gemini Pro는 구글의 챗봇인 Bard를 통해 이미 170개 국가/지역에서 업데이트되어 서비스되고 있으며 고급 추론, 계획, 작성, 콘텐츠 이해 및 요약을 제공한다. Gemini Pro가 포함된 이 Bard 버전은 여러 벤치마크에서 GPT 3.5를 능가한 것으로 알려져 있는데 내가 직접 테스트 해봐도 어느 정도 수긍이 가는 부분이다. Gemini Ultra는 새로운 Bard Advanced 제품을 통해 주로 개발자와 기업 고객을 대상으로 내년 초에 출시될 예정입니다.

향후에는 구글은 Gemini를 구글 검색, Chrome, Duet AI 및 Ads를 포함한 다양한 서비스에 통합할 계획이며 초기 테스트를 통해 SGE(검색 생성 경험) 대기 시간이 크게 감소한 것으로 나타났다.

결론적으로 무료 사용자의 입장에서는 챗gpt3.5 보다는 이번에 Bard에서 업그레이드된 Gemini Pro가 멀티모달 측면에서 성능이 뛰어나다고 평가될 수 있다. 즉 무료사용자라면 당분간 구글 Bard를 사용하라고 추천하고 싶다. 그리고 위에서 언급한 여러 부문에서의 테스트처럼 Gemini Ultra는 멀티모달 능력과 복잡한 추론 및 문제 해결 능력에서 ChatGPT-4를 능가하는 것으로 나타났다.

하지만, 이러한 비교는 특정 벤치마크와 시나리오에 국한된 것이므로, 실제 내년 초에 유료서비스가 시작되면 테스트에서의 성능은 사용자의 구체적인 요구와 상황에 따라 다를 게 나타 날 수도 있다. 챗gpt 또한 구글을 능가하기 위해 많은 노력을 기울일 게 충분히 예상되기 때문이다. 글로벌 인공지능 시장에서 1등을 차지하기 위한 경쟁은 차라리 전쟁이라고 표현해도 과언이 아닐 것이다.

메타 '라마3(Llama-3)' 오픈소스 공개의 의미

[사진출처=메타]

　이전 글에서 뻔뻔한 거짓말, 할루시네이션(Hallucination)에 대해 쓴 글에서 생성형 AI가 가져올 위험성에 대해 이야기 한 바가 있다. 2023년 2월 24일 메타가 라마라는 인공지능 오픈소스를 대중에게 공개한 후 일주일 만에 스탠퍼드 대학에서 라마보다 뛰어난 기능의 알파카를 출시하였고, 그 후 단 2개월 동안 GPU가 아니 맥북 CPU에서도 돌아가는 솔루션, GPT4.0과 유사한 비쿠나Vicina, GPT-4 All, 버클리의 코알라Koala, 오픈 어시스턴트의 챗GPT와 유사한 완전 개방형 RLHF(인간의 피드백을 통한 강화학습) 모델 등의 출시가 봇물처럼 이루어 졌다. 이후 5개월 더 지난 현재는 확산 속도가 너무 빨라 상세한 내용을 파악하기도 힘든 지경이다. 이들 AI 오픈소스가 가져올 위험들은 이미 '판도라의 상자가 열렸다'는 표현을 쓰는 게 적절한 만큼 단순한 염려에 끝나지 않을 것이라는 게 전문가들의 우려이다.

이런 와중에 오픈소스 기술을 선도하고 있는 메타 (이전의 페이스북)가 대형언어모델 (Large Language Model, LLM) '라마2'를 상업적으로 사용 가능한 무료 오픈소스로 또 배포한 바 있다. 이 배포는 연구 목적으로 공개했던 첫 번째 '라마'의 사용자들로부터 상업적 용도로도 활용할 수 있도록 요구를 받고 이에 응답한 것으로 보인다. 메타의 이런 움직임은 인공지능(AI) 분야에서 경쟁력을 신속하게 확보하려는 전략이라고 볼 수 있다.

이후 '라마'를 바탕으로 개발된 LLM들이 속속 등장하고 있다. 스테빌리티AI는 이미지 생성 AI인 '스테이블LM'을 출시했고, 독일 비영리단체 오픈어시스턴스는 챗gpt와 유사한 기능을 가진 '허깅챗'을 선보였습니다. 이 모든 모델들은 70억~650억 개의 파라미터(매개변수)를 가진 라마를 기반으로 개발되었고, 이는 구글의 LLM 팜2(5400억 개), 챗gpt를 돌리는 GPT-3.5(1750억 개)에 비해 상당히 적은 수치이다. IT업계 관계자들은 매개 변수가 적은 만큼 성능은 떨어지지만, AI 모델을 구축하는 데 걸리는 시간은 줄어들며, 이는 개발자들에게 AI 모델 개발의 기본 소스를 제공한다는 의미가 있다고 설명했다. 반면에 한꺼번에 처리할 수 있는 컨텍스트 창은 4096개 토큰으로 기존 모델 대비 크게 증가한 점이 주목받고 있다. 컨텍스트 창이 넓어질수록 한 번에 명령어에서 처리할 수 있는 정보량이 증가하는 이점이 있다.

메타는 라마2가 이전 모델에 비해 40% 이상 많은 데이터를 학습했으며, AI가 만들어 내는 뻔뻔한 거짓말인 '할루시네이션'의 위험성을 크게 줄였다고 밝혔다. 이런 개선은 사용자의 활용도를 향상시키는 데 크게 기여할 것으로 예상된다.

업계에서는 학계를 중심으로 형성되고 있는 '라마 동맹'이 구글과 오픈AI의 경쟁력에 큰 도전장을 제기할 것으로 보고 있다. 특히 메타가 계획한대로 라마의 파라미터를 1000억 개로 확대한다면, '라마 동맹'의 경쟁력은 더욱 강화될 것으로 예상된다. 반면, AI 분야에서 경쟁하는 구글은 메타의 오픈소스 공개에 부정적인 입장을 취하고 있다. 구글의 연구부사장 조빈 가라마니는 최근 인터뷰에서 "생성 AI는 논란이 많은 분야"라며 "오픈소스 코드 공개에 신중해야 한다."고 강조했다.

GPT-4 및 Palm 2와 같은 경쟁 제품과 차별화되는 라마2의 뛰어난 기능은 오픈 소스 가용성이다. OpenAI 및 구글과 같은 조직은 LLM으로 AI를 개발하려는 회사로부터 상당한 비용을 청구하지만 라마2는 AI 기술을 발전시키기 위해 누구나 자유롭게 활용할 수 있기 때문이다. 업계 관계자들은 이번 움직임을 신규 진입자들이 시장 침투력을 높일 수 있는 전략적 기회의 단계로 보고 있다. 오픈 소스 LLM의 지속적인 개선이 현재 폐쇄 소스 LLM의 시장 지배력을 점진적으로 잠식할 수 있다는 인식이 커지고 있다. 이는 오픈 소스 모델이 감당할 수 있는 낮은 운영비용과 감소된 종속성 때문이다. 또한 소스코드를 오픈 소스화 하기로 한 결정은 시장 확대를 자극할 가능성이 크다. 여러 개발자가 성능을 수정할 수 있으므로 오픈 소스 LLM의 전체 기능이 빠르게 향상될 수 있다.

메타의 CEO인 마크 저커버그는 최근 오픈 소스 개발의 혁신 잠재력을 확인하면서 "새로운 기술을 만드는 데 더 많은 개발자 풀을 참여시킴으로써 창의성을 촉진하고 보안도 강화한다"라고 덧붙였다. 이전 모델은 오픈 소스이지만 상업용으로 설계되지 않았기 때문에 개발자가 수많은 과제를 해결해야 했다. 그러나 상업적 용도로 설계된 새로운 모델의 출시는 기술 산업, 특히 폐쇄형 모델 정책을 고수해 온 구글과 같은 거대 기업 사이에 파문을 일으키고 있다. 이러한 변화는 오픈 소스 접근 방식을 선호하는 수많은 개발자들에게 열광적인 환영을 받고 있다. 그래서 신제품 '라마2'는 출시 당일 AI 모델 플랫폼 '허깅페이스(Hugging Face)' LLM 리더보드에서 1위를 차지했다.

메타는 마이크로소프트의 애저 클라우드(Azure Cloud), Amazon

의 AWS 및 허깅페이스를 통해 라마2에 액세스할 수 있도록 하는 것을 목표로 한다. 월스트리트 저널을 비롯한 여러 국제 언론 매체에 따르면 마이크로소프트는 연례 파트너 컨퍼런스인 Inspire 2023에서 애저 클라우드 고객이 메타의 새로운 LLM인 '라마2'에 액세스할 수 있다고 발표한바 있다. 이는 '라마2'가 마이크로소프트의 애저 서비스를 통해 제공될 것임을 의미한다. 애저를 통해 메타의 최신 LLM 제품을 제공하기로 한 마이크로소프트의 결정은 주로 OpenAI에 집중된 AI 서비스를 다양화하기 위한 전략적 움직임으로 보인다. 기존의 폐쇄 소스 LLM과 새로운 오픈 소스 LLM을 모두 제공함으로써 마이크로소프트는 클라우드 서비스 시장에서 경쟁 우위를 강화할 것이다. 메타의 관점에서 볼 때 상업적 목적의 오픈 소스 LLM을 클라우드 서비스로 제공하는 것은 시장 영역을 확장할 수 있는 기회를 제공받게 된다.

마이크로소프트는 2019년부터 챗gpt 개발회사 OpenAI와 전략적 파트너십을 맺었기 때문에 메타와의 이번 파트너십 발표는 의미 있는 움직임으로 평가된다. 라마2는 사용료가 필요 없는 오픈 소스 모델로 제공되는 반면 마이크로소프트는 애저 서비스 사용에 대해 요금을 부과한다는 점에 주목할 필요가 있다. 더불어 메타는 OpenAI 파트너십을 맺고 2024년부터 라마2를 퀄컴의 모바일 및 PC 칩에 통합할 계획이라고 발표했다. 이 이니셔티브는 LLM을 모바일 또는 PC 플랫폼에서 개인 비서로 배포하려는 '에지 AI'를 염두에 둔 것이다. 목표는 중앙 집중식 데이터 센터에 의존하는 것과 달리 속도와 비용을 크게 줄이는 것이다.

이 글을 편집하는 2024년 초에 메타는 최신 대규모 언어 모델인 라마3(LLaMA3)를 발표했다. 이 모델은 이전 모델인 라마2보다 더 큰 데이터 셋과 많은 파라미터로 훈련되어 성능이 크게 향상되었다. 라마3는 고객 서비스, 콘텐츠 생성, 번역, 텍스트 요약 등 다양한 분야에서 활용될 수 있으며, 윤리적 AI와 데이터 프라이버시 보호에도 중점을 두었다.

라마3의 주요 특징으로는 더욱 정교해진 알고리즘과 아키텍처 개선, 다양한 활용 사례, 사용자 친화적인 인터페이스와 API 제공 등이 있다. 기술적으로는 Transformer 아키텍처를 기반으로 하고, 최신 기법을 사용해 학습과 최적화가 이루어졌다.

이 모델은 고객 서비스 자동화, 콘텐츠 생성, 번역 및 텍스트 요약 등 실제 활용 사례에서 유용하게 사용될 수 있다. 미래에는 더 많은 데이터와 개선된 알고리즘을 통해 성능이 더욱 향상될 것으로 기대되며, AI 기술이 일상생활과 업무 방식에 큰 변화를 가져올 것이다.

생성형 AI의 춘추전국시대인 올해 수없이 많은 업체들이 신규 AI 모델들을 내어 놓고 있으며 동시에 각 회사들 간에 전략적 제휴가 활발하게 이루어지고 있다. 여기에서 최후의 승자가 누가 될

지는 어떤 전문가도 쉽게 예측할 수 없다. 곧 마이크로소프트와 구글, 오픈AI 등 생성형 AI의 견인차 역할을 하고 있는 초거대 기업들이 백악관이 요청으로 AI를 책임 있고 안전하게 사용할 것을 약속하는 8개 조항이 포함된 공개 서약서를 발표할 예정이라고 한다. 이는 그만큼 현재의 AI관련 합리적인 글로벌 규약이 만들어 지기도 전에 발전 속도가 너무 빠르게 진행되고 있고 더구나 오픈소스까지 배포된 상황에서 급한 마음에 취해진 최소한의 조치라고 생각한다.

인공지능 기술이 적용되는 분야에서 일을 하면서 누구보다 깊은 관심을 기울이고 지켜보는 나의 입장에서는 우리에게 다가온 AI라는 큰 기술이 부디 선한 방향으로 유도되어 세계 인류가 좀 더 행복한 삶을 영위할 수 있도록 잘 사용되기를 간절히 기원해본다.

챗gpt와 함께 외국어 학습의 새 지평을 열다

현대 사회에서 영어는 단순한 언어가 아닌 세계 소통의 교두보로 자리 잡았다. 인공지능 시대의 흐름 속에서 외국어 회화 능력을 향상시키기 위한 새로운 방법이 주목받고 있다. 바로 AI 챗봇, 챗gpt의 보이스 채팅 기능을 활용하는 것이다.

챗gpt는 사용자의 질문에 맞춰 대화를 이어나갈 수 있는 인공지능 프로그램이다. 이를 외국어 학습에 적용하면, 사용자는 언제 어디서든 실시간으로 외국어 대화 연습을 할 수 있는 환경을 갖출 수 있다. 특히 한국인 사용자에게 챗gpt의 보이스 채팅은 다음과 같은 장점을 제공한다.

첫째, 실제 외국어 사용 환경을 모사할 수 있다. 챗gpt는 다양한 주제와 상황에 맞춘 대화를 생성해낼 수 있어, 사용자는 실생활에서 마주칠 수 있는 다양한 대화 상황을 연습할 수 있다.

둘째, 발음과 듣기 실력을 동시에 향상시킬 수 있다. 스마트폰 챗gpt의 보이스 채팅은 텍스트 대화뿐만 아니라 음성 대화 기능도 지원한다. 사용자는 이를 통해 자신의 발음을 교정하고, 자연스러운 억양을 익힐 수 있다.

셋째, 부담 없는 연습 환경을 제공한다. 실제 외국어를 사용하는 상대방과의 대화는 부담스러울 수 있다. 그러나 AI와의 대화는 실수에 대한 두려움을 줄이고, 자신감 있게 연습할 수 있는 장점이 있다.

이러한 장점을 십분 활용하기 위한 구체적인 학습 방법은 다음과 같다.

일상 대화 연습: 사용자는 챗gpt에게 일상적인 질문을 던지고,

AI의 답변을 들으며 대화를 이어나갈 수 있다. 예를 들어, "오늘 날씨 어때?" 또는 "최근에 본 영화에 대해 어떻게 생각해?"와 같은 질문을 통해 대화를 시작할 수 있다.

주제별 대화 연습: 사용자는 특정 주제에 초점을 맞춘 대화를 시도할 수 있다. 예를 들어, "환경 문제에 대한 당신의 생각은 무엇인가요?"라는 질문으로 환경 이슈에 대한 토론을 할 수 있다.

발음 교정: 사용자는 자신의 발음을 녹음하고, 챗gpt의 음성 대답을 들으며 발음을 비교, 교정할 수 있다. 이 과정에서 사용자는 발음의 정확성을 향상시킬 수 있다.

역할놀이 연습: 사용자는 챗gpt와 함께 특정 상황을 설정하고 역할놀이를 할 수 있다. 예를 들어, 공항에서 수하물을 찾는 상황을 설정하고, 해당 상황에서 필요한 영어 표현을 연습할 수 있다.

이와 같은 방법을 통해 한국인은 AI 챗봇의 보이스 채팅 기능을 활용하는 것은 단순히 언어적 교류에 그치지 않는다. 이는 문화적 감수성을 키우고, 다양한 배경을 가진 가상의 인물들과의 대화를 통해 세계관을 넓히는 데에도 기여한다.

그렇다면, 실제로 이 기능을 어떻게 활용할 수 있을까? 간단하게 몇 가지 단계로 나누어 설명해보자.

첫째 단계: 기본 설정하기

사용자는 우선 챗gpt와의 대화를 시작하기 전에, 목표하는 바를 명확히 해야 한다. 일상 대화 연습을 원하는지, 아니면 특정 시나리오를 기반으로 한 실전 연습을 원하는지 결정하자. 그 다음, 챗봇과의 대화 설정에서 음성 인식 기능을 활성화시키고, 마이크와 스피커가 잘 작동하는지 확인한다.

둘째 단계: 대화 시작하기

설정이 완료되면, 챗봇에게 첫 인사를 건네 보자. "Hello, I'd like to practice English with you today."와 같은 간단한 문장으로 시작할 수 있다. 이후 챗봇이 제시하는 다양한 주제에 대해 자유롭게 의견을 나누며 대화를 이어나간다.

셋째 단계: 주제 깊게 파기

일상 대화에 익숙해졌다면, 보다 전문적인 주제로 범위를 확장해 보자. 예를 들어, "What's your opinion on renewable energy sources?"와 같은 질문을 통해 환경, 과학, 경제 등 다양한 주제에 대한 토론을 시도해볼 수 있다.

넷째 단계: 피드백 받기

대화를 하면서 챗봇에게 자신의 발음이나 문법에 대한 피드백을 요청할 수도 있다. 이를 통해 사용자는 자신의 약점을 파악하고, 이를 개선할 기회를 얻는다.

다섯째 단계: 꾸준한 연습

언어 습득은 반복된 연습을 통해 이루어진다. 매일 정해진 시간에 챗gpt와 대화를 나누며, 자신이 배운 표현이나 단어를 실제로 사용해보는 것이 중요하다.

여섯째 단계: 실생활 적용

챗봇과의 연습을 실생활에서 적용해보자. 대화에서 배운 표현을 실제 영어를 사용하는 상황에서 활용해보는 것이다. 이 과정에서 사용자는 학습한 내용을 내면화하고, 실제 영어 사용 능력을 향상시킬 수 있다.

마지막으로 AI 챗봇을 활용한 외국어 학습은 언어 능력의 향상뿐만 아니라, 새로운 기술과의 접목을 통한 미래지향적 학습 방식의 대안을 제시한다. 우리는 이제 언제 어디서나 가상의 외국어 원어민과 대화를 나눌 수 있는 시대에 살고 있다. 이러한 기술의 진보를 통해 한국인은 더욱 효과적으로 글로벌 커뮤니케이션 능력을 강화할 수 있을 것이다. 실제로 이러한 기술을 잘 활용하면, 언어적 한계를 넘어서는 것은 물론, 글로벌 마인드를 갖춘 인재로 성장할 수 있는 발판을 마련할 수 있다.

언어 학습은 단기간에 이루어지는 것이 아니다. 지속적인 연습과 피드백을 통해 점차적으로 발전해 나가는 과정이다. 챗gpt와 같은 AI 챗봇은 그 과정에서 유용한 도구가 될 수 있다. 챗봇은 시간과 장소에 구애받지 않고, 개인의 학습 속도에 맞춰 학습할 수 있는 환경을 제공한다. 사용자는 자신의 필요와 수준에 맞게 챗봇을 활용하여 영어 실력을 점진적으로 향상시킬 수 있다.

이러한 학습 방법은 특히 외국어를 모국어로 사용하지 않는 한국인에게 더 큰 기회를 제공한다. 언어의 장벽을 넘어서 다른 문화와 생각에 대해 배우고, 이를 자신의 것으로 만드는 경험은 결국 개인의 세계관을 넓히는 데 크게 기여할 것이다. 그렇기에 챗gpt의 보이스 채팅 기능을 활용한 영어 학습은 단순한 언어 학습을 넘어서 개인의 성장과 발전을 위한 투자로서 그 가치를 인정 할만하다.

기술의 발달은 학습 방식을 변화시켰고, 우리는 이제 AI와 대화하며 외국어를 배울 수 있는 시대에 살고 있다. 챗gpt와 같은 AI 챗봇을 통해 외국어 회화 능력을 키우는 것은, 한국인에게 외국어를 자유롭게 구사할 수 있는 능력뿐만 아니라, 세계 속에서 더 넓은 시야를 가질 수 있는 기회를 제공한다. 지금 이 순간에도 많은 사람들이 이 기회를 활용해 글로벌 시민으로서의 자신의 위치를 굳

히고 있다. 이제 여러분도 챗gpt의 보이스 채팅 기능을 통해 외국어 학습의 새 장을 열어보는 것은 어떨까?

Sora가 전해준 AI 비디오 시장의 충격

서핑하는 수달, 출처=OpenAI

요즘은 AI관련 뉴스들이 너무 많이 쏟아져 웬만한 뉴스거리에는 그러느니 하고 지나치는데 2024년 초 OpenAI에서 발표한 "Sora"라는 AI 비디오 모델은 충격파가 꽤 큰 뉴스였다. 발표이후 당장 전 세계 광고업계가 초비상이 걸렸다고 한다. 한마디로 영상 전문가들이 일자리를 다 잃게 되었다는 것이다.

OpenAI 사에서는 Sora 모델을 발표하면서 평균 20초길이, 총 48편의 영상이 공개하였다. 이 소식이 전해지자마자 유튜브를 포함해 각종 SNS를 통해서 매우 빠른 속도로 확산되기 시작하였다.

내 경우에는 평소 주위 지인들에게 2024년 인공지능의 가장 이슈는 "AI 비디오"가 될 것이라는 것을 자주 이야기 한 바 있기 때문에 어느 누구보다도 이 소식이 기쁘게 다가왔다. 뉴스를 듣자마자 바로 Sora 홈페이지에서 가서 48개 영상을 모두 상세히 살펴보았다. 그리고 이 소식을 바로 전달해야겠다는 생각에 즉시 블로그에도 글을 올렸다.

아니나 다를까 그 이후로 지금까지 유튜브에서는 온통 Sora의 샘플 영상을 편집해 보여주면서 다들 경쟁적으로 영상업계에 대단히 큰 변화가 올 것이라 이야기 하고 있다. 개인적인 의견이지만 Sora는 기존 AI 비디오 툴인 '피카'와 '런웨이'와 비교했을 때, 퀄리티와 성능면에서 적어도 최소 10단계 이상 발전했다고 평가를 내릴 수 있다.

OpenAI Sora 페이지에는 입력한 텍스트로 비디오를 제작하는 AI 모델, Sora를 소개하면서 모든 영상은 어떠한 수정 없이 제작되었다고 밝혔다. Sora는 사용자의 지시를 따라 최대 1분 길이의 고화질 비디오를 만들어내는 능력을 갖추고 있다.

이 홈페이지에서는 인공지능 기술로 영상 생성의 가능성은 어떻게 이루어지는지와 카메라로 찍은 것과 같은 효과를 만드는 인공지능 기술에 대한 내용이 발표되었다. 비주얼 링 코더를 통해 비디오를 조각조각 나누고, 각 조각들을 배열, 수정하여 고품질의 비디오를 만들러 주는데, 이 과정은 기존의 이미지 제작 모델인 DALL-E 3 모델의 연구를 기반으로 진행된 것으로 알려졌다.

생성 시스템은 자연어 처리와 이미지, 동영상 관련 기술을 활용해 제작되었는데, 이 시스템의 핵심은 프롬프트의 논리를 이해하고 처리, 물체들의 움직임을 이해하고 자연스럽게 생성할 수 있다는 것이다. 이 같은 기술을 통해 Sora는 쉽게 비디오를 만들 수 있고, 특정 모델의 걷는 모습 등 자연스러운 영상 생성 가능하다. 또, 동영상의 해상도와 비율 자유롭게 생성 가능하며, 이미지 투 비디오 기능을 제공한다. 복합적인 이미지도 엄청난 연출효과로 만들어 줄 수 있고, 영상의 앞뒤를 확장할 수 있다. 그리고 Sora를 이용하면 무한루프 영상도 만들 수 있어요.

비디오 편집에서는 자동차 주행 영상의 배경을 공룡 시대나 1920년대로 바꾸는 등, 다양한 변화를 줄 수 있다. 또한, 서로 다른 영상을 자연스럽게 이어주는 기능을 통해 마술을 보는 느낌이 들었다. 드론이 날아가는 영상과 바다에서 날아다니는 나비 영상을 자연스럽게 이어주어서 놀라운 변화를 경험할 수도 있다. 카멜레온과 공작새 영상을 합치면 색상이 변하는 마법도 가능하다.

인공지능 Sora와 이전 온라인 비디오 생성 AI의 차이점은 무엇일까? 새로 출시된 Sora의 영상과 자료들을 살펴보고 그 기능을 활용한 비디오 생성 퍼포먼스가 얼마나 놀라운지 확인할 수 있었다. 이전에는 피카와 런웨이와 같은 온라인 비디오 생성 AI도 존재하였으나, Sora와 비교하면 퀄리티가 현저하게 떨어진다는 것이 확인되었다. 인공지능 기술 발전을 살펴보고 실제 활용도를 검토할 수 있는 참고 자료가 되긴 하지만, Sora와 비교하면 심한 차이를 보이고 있다.

Sora는 현재 발표된 AI 비디오 소프트웨어 중에서 가장 발전한 것으로, 성능이 어마무시하다는 것을 보여준다. 그러나 성적인 내용, 범죄에 사용될 내용이 포함된 경우 이에 대한 정책을 강화하고 있고, 레드 팀에게만 공개하고 기능적 구현에 대한 피드백을 받은 후 출시될 예정이이로고 한다. 또한, 시각 예술가, 디자이너, 영화 제작자들에게도 이 모델을 테스트해볼 기회를 제공하며, 창의적인 작업에 새로운 가능성을 열어주고 있다.

OpenAI는 이 기술의 연구 과정과 진행 상황을 널리 공유하며, 외부의 피드백을 받고 AI의 미래 방향성에 대한 대중의 인식을 높이고 있다. Sora는 사용자가 요구하는 다양한 캐릭터, 동작, 그리고 피사체와 배경의 세부 정보를 정확하게 구현할 수 있으며, 이를 통해 복잡한 장면을 생생하게 만들어낼 수도 있다.

하지만 이 모델도 완벽하지는 않다. 복잡한 물리학 시뮬레이션을 정확히 처리하는 데 어려움을 겪거나, 특정 상황에서 원인과 결과를 제대로 이해하지 못하는 경우가 있을 수 있다. 예를 들어, 쿠키를 한 입 베어 물었을 때 그 자국이 나중에 보이지 않는다든지, 공간적 세부 사항이나 시간에 따른 이벤트의 정확한 묘사에 어려움을 겪을 수 있다.

OpenAI는 Sora를 사용하기 전에 여러 안전 조치를 취할 예정이다. 잘못된 정보, 증오 콘텐츠, 편견 등을 적극적으로 테스트하고, 비디오 생성 시점을 알 수 있는 감지 분류기를 개발하는 등의 조치를 통해 안전한 사용을 보장하려고 한다. 또한, DALL·E 3의 안전 방법론을 활용하여 비디오의 모든 프레임이 OpenAI의 사용 정책을 준수하는지 확인할 계획이다.

Sora는 확산 모델을 기반으로 하여, 정적인 노이즈로부터 시작해 점차적으로 노이즈를 제거하며 비디오를 만들어내는 방식으로 작동한다. 이 모델은 한 번에 여러 프레임을 예측할 수 있으며, GPT와 유사한 변환기 아키텍처를 사용해 뛰어난 확장성을 제공한다.

이 모델의 개발은 DALL·E 및 GPT 모델에 대한 이전 연구를 기반으로 하며, 사용자의 텍스트 지시를 더욱 충실하게 따를 수 있도록 한다. 실제로, Sora는 텍스트 지침만으로 비디오를 생성할 수 있을 뿐만 아니라, 기존의 정지 이미지나 비디오를 확장하거나 보완하는 능력도 갖추고 있다.

AGI, 즉 일반 인공지능을 향한 중요한 발걸음으로 Sora의 발표는 큰 의미를 갖는다. 이 기술은 사람들이 실제 세계에서 마주하는 문제를 해결하는 데 도움을 줄 수 있도록, AI가 물리적 세계를 이해하고 시뮬레이션하는 방법을 가르치는 데 중점을 두고 있다. 앞으로 Sora를 포함한 AI 영상 툴의 발전은 인간보다 더 나은 인공지능을 만드는 데 중요한 역할을 할 것으로 기대된다.

손흥민도 인공지능 AI로 축구를 한다.

[사진출처=픽사베이]

스포츠는 전 세계 많은 사람들이 열광하는 분야이다. 우리는 스포츠를 통해 에너지를 방출하며, 공감대를 형성하기도 한다. 최근에는 AI기술이 이러한 스포츠의 생동감을 더욱 강화하는 중요한 도구로 부상하고 있다. 특히, 사람들이 스포츠를 더 잘 즐길 수 있게 하는데 큰 역할을 하고 있다.

많은 전문가들은 AI 기술의 발전이 스포츠 환경을 풍요롭게 만들 것으로 예측하고 있다. 더구나, 심판 오심이 줄어들고 선수들의 훈련 방법도 더 정교해질 것으로 전망된다. 그리고 이것은 프로 선수만이 아닌 일반인들에게도 좋은 소식이라 할 수 있다. 보통 사람들도 좋아하는 스포츠를 더 발전된 방식으로 즐길 수 있게 되었거든요. 이번에는 AI와 함께하는 프로 축구 현장과 적용분야를 살펴보기로 한다.

영국 프리미어리그를 선두로 하고 있는 유명한 축구팀들, 리버풀부터 첼시까지, 인공지능(AI) 코칭 시스템을 도입하였다. 2021년 5월, 딥마인드와 리버풀은 AI 기반의 축구 코칭 시스템에 대한 연구 결과를 발표했다. 반면, 첼시는 2019년부터 러프버러 대학교와의 협정 하에 코칭 AI를 사용해왔다.

이 스포츠 코칭 AI 시스템은 게임 비디오의 빅 데이터를 기반으로 선수와 공의 움직임을 분석하며 새로운 전략을 제안한다. 기존의 코칭 방법에서는 감독들이 직관적인 판단을 바탕으로 선수들에게 지시를 내렸다면, 이제는 데이터를 기반으로 훈련 방향이 제시된다. 이러한 변화는 프리미어리그의 경쟁력을 한층 더 높일 것으로 예상되며, 빅 데이터와 AI 기술의 접목을 통해 전통적인 스포츠 방식에 혁신을 가져올 것으로 전망된다.

현재는 영국 프리미어리그 외에도 많은 명성 있는 축구 클럽들이 선수들의 훈련에 인공지능(AI) 기술을 적극 도입하고 있다. 스페인의 라리가에서는 마이크로소프트와의 파트너십을 통해 AI 기술이 활발하게 도입되어 활용되고 있다. AI는 개별 선수 데이터를 분석하여 훈련 방법 및 부상 예방 방법에 대한 교육을 제공하는 데 사용된다. 실제로, 라리가 측에 따르면 AI 분석 방법을 도입한 축구클럽에서의 선수 부상이 3분의 1로 줄어들었다고 발표되었다.

AI 축구 코치는 물리적으로 인간 코치가 볼 수 없는 많은 움직임을 감지할 수 있다. AI 코치는 게임 비디오와 함께 다양한 데이터를 분석하여 선수들에게 최적의 훈련 방법을 제안한다. 또한 각선수가 훈련 중에 GPS 장비를 착용하고 연습 경기를 진행한 후, 부족한 부분이나 개선이 필요한 영역에 대해 개별 선수를 지도하는 시스템도 있다. 이러한 AI 기술 도입은 축구계에 혁신적인 변화를 가져오며, 선수들의 훈련 효율과 안전성을 한층 더 높일 것으로 예상된다.

국내에서는 2018 평창 올림픽 동안 국가 스키 대표 팀 선수들을 대상으로 처음으로 인공지능(AI) 코칭이 시작되었다. 비디오 촬영 후, AI는 인간 코치에 의한 기존 분석 방법에 적용되어 각 선수에 맞게 맞춤화된 코스 운영 전략을 제시하였다. 이러한 센서 개발은 LG 전자에 의해 이루어졌으며, AI 분석 방법론 연구는 KAIST의 장영재 교수팀이 주도하였습니다. 이 AI 코칭 기술 도입은 스포츠 분야에서의 인공지능 활용의 가능성을 보여주었으며, 선수들의 훈련 및 경기 전략에 혁신적인 변화를 가져왔고 현재는 더욱 발전된 프로그램으로 선수들을 관리하고 있다.

인공지능(AI) 기술은 다양한 산업 분야에서 그 가능성을 보여주고 있다. 특히, 프로 축구 클럽에서도 AI의 도입이 활발히 진행되며 많은 변화를 가져오고 있다. 그렇다면, 프로축구 클럽에서 어떤 영역에서 AI가 활용되고 있는지 주요 5가지 영역을 살펴보겠다.

첫 번째는 선수 분석이다. AI는 선수들의 움직임, 슈팅 기술, 패스 정확도 등을 분석하여 각 선수의 특성과 능력을 상세히 파악할 수 있다. 이를 통해 각 선수의 강점과 약점을 명확히 인식하고, 훈련 프로그램을 맞춤화할 수 있다.

두 번째는 경기 분석이다. 경기 중 발생하는 다양한 상황을 AI가 실시간으로 분석하여, 감독과 코치진에게 최적의 전략을 제안한다. 이를 통해 상대 팀의 전략을 빠르게 파악하고 반응할 수 있다.

세 번째는 부상 예방이다. 선수들의 운동량과 체력 상태를 지속적으로 모니터링 하여, 부상 위험을 미리 예측하고 대응한다. AI를 활용하면, 선수의 오버워크나 피로도를 실시간으로 감지하여, 부상을 사전에 예방하는 데 도움을 준다.

네 번째는 팬과의 소통이다. AI를 활용한 챗봇이나 앱을 통해 팬들과의 소통이 활발히 이루어지고 있다. 팬들의 의견을 수집하고, 클럽에 대한 정보나 소식을 실시간으로 전달하여 팬들과의 간극을 줄이는 데 도움을 준다.

마지막으로 다섯 번째는 티켓팅 및 경영이다. AI를 활용하여 경기 일정, 예상 관중 수, 경기장의 위치와 조건 등을 분석, 최적의 티켓 가격과 판매 전략을 세울 수 있다. 또한, 클럽의 마케팅과 판촉 활동에도 AI를 통한 데이터 분석이 큰 도움을 준다.

이처럼 인공지능은 프로 축구 클럽의 다양한 영역에서 혁신적인 변화를 가져오며, 더욱 전문적이고 효율적인 운영을 도와준다. AI와 스포츠의 만남은 앞으로 더욱 다양한 가능성을 탐색하게 될 것이다.

이러한 발전 속에서, 스포츠와 인공지능은 어떠한 시너지를 만들어낼 수 있을지, 그 풍요로운 미래를 기대해 본다.

◇◆◇◆◇

5장. 『Her』가 오고 있다

반가워! 옵티머스 젠2 휴머노이드

휴머노이드와 춤을, DALL-E3에서 그림]

2023년 12월 테슬라의 2세대 휴머노이드 로봇인 옵티머스 젠 2(Optimus Gen 2)가 세상에 공개되었다. 이 모델은 2022년 10월 공개될 당시 내부 부품이 적나라하게 보이고 움직임이 끔찍했던 1세대 모델과 비교해 보면 매우 큰 도약을 보여주었다.

이전 글에서도 휴머노이드의 현실화 가능성에 대해 상세히 기술한 바 있지만 테슬라의 발표가 평소 휴머노이드 로봇에 관심 많은 나에게 특별히 다가왔기 때문에 발표된 내용을 기반으로 휴머노이드 로봇의 가능성과 긍정적인 부분, 부정적인 부분에 대해서 다루어 보고자 한다.

우선 발표 영상을 통해서 본 옵티머스 젠2는 1세대에 비해 디자인과 동작 부분에서는 눈에 띄게 세련된 모습으로 변했다. 이 새로운 모델은 키 173cm, 무게 63kg, 시속 10km로 걸을 수 있어 1세대보다 10kg 더 가볍고 30% 더 빨라져 더욱 부드럽고 인간적인 움직임을 구현한다고 한다. 손과 발을 재설계하여 민첩성과 이동성을 향상시켰다. 테슬라는 옵티머스 젠2에 다양한 센서, 액추에이터 및 재설계된 구성 요소를 장착했다. 이러한 개선을 통해 이전 프로토타입의 느리고 투박한 보행 방식에서 벗어나 더욱 민첩하고 실제와 같은 움직임이 가능해졌다.

2022년 옵티머스 1세대 발표 당시 걷기, 손 흔들기와 같은 기본 기능이 포함된 초기 프로토타입의 제한된 기능으로 인해 회의적인 반응이 대부분이었다. 그러나 이번 영상을 살펴보면 2세대에서 상당한 진전을 이루었다고 할 수 있다. 테슬라는 자율 주행 차량 프로그램에서 얻은 AI 전문 지식과 배터리 및 전기 모터에 대한 지식을 활용하여 현재 인간 노동이 필요한 작업에 옵티머스를 사용하는 것을 목표로 한다고 발표했다.

옵티머스는 신경망을 엔드 투 엔드 방식으로 학습하여 객체를 자동으로 정렬하는 등의 작업을 수행할 수 있다고 한다. 성능 및 실용성 측면에서 살펴보면 옵티머스 젠2는 무게 감소와 향상된 기능 덕분에 균형을 유지하면서 쪼그리고 앉는 등의 작업을 쉽게 수행할 수 있다. 이러한 개선으로 인해 휴머노이드 로봇의 실용화에 더욱 가까워졌다고 예측해볼 수 있다.

휴머노이드 로봇 공학의 중요한 과제 중 하나는 정확하게 동작하는 손의 디자인이다. 가장 눈에 띄는 기능 중 하나인 옵티머스 젠2의 새로운 손은 상당한 무게와 섬세한 작업을 처리하도록 업그레이드되었다. 소개 영상에서 계란을 부드럽게 집어 올려 끓는 물에 넣는 등의 복잡한 작업을 수행하였다. 이는 로봇의 손가락 마디에 내장된 11개의 엑추에이터와 손가락 끝에 장착된 촉각 센서 덕분에 가능하다. 이 센서들은 로봇이 무엇을 잡고 있는지 판단할 수 있게 해 주고 정확한 동작이 가능하게 한다. 또한, 로봇은 스쿼트 자세를 취하거나 한 발로 균형을 잡는 요가 동작을 할 수 있으며 물체를 스스로 분류하는 작업도 수행할 수 있다.

테슬라의 CEO 일론 머스크는 이 로봇이 공장 작업 등 위험하고 반복적인 일을 수행할 수 있다고 언급했다. 그리고 테슬라는 자체 제조 작업에 옵티머스를 사용할 계획이라고 한다. 효율성이 입증되면 테슬라는 로봇 판매를 시작하여 육체노동에 의존하는 다양한 부문에 보급될 계획이다. 머스크는 3년에서 5년 이내에 약 2만 달러

(약 2600만원) 이하의 가격으로 판매할 수 있을 것으로 예상하고 있다고 말했다.

긍정적인 측면에서 휴머노이드 로봇이 상용화 되면 여러 분야에서 적용이 가능한데 가장 우선적으로 적용될 분야는 머스크가 말했듯이 산업 현장에서 반복적이거나 위험한 작업을 수행할 수 있다. 미세한 모터 기술과 촉각 센서와 같은 발전을 통해, 이 로봇들은 섬세한 작업을 다룰 수 있어 오류를 줄이고 효율성을 높일 수 있다. 로봇을 이용한 작업 자동화는 장기적으로 노동 비용을 상당히 줄일 수 있다.

다음으로는 휴머노이드 로봇은 노인을 돌보고 일상적인 작업을 도울 수 있어 생활의 질을 향상시킬 수 있다. 인간과 유사한 움직임을 가진 로봇은 물리치료 및 재활에 사용될 수 있어 일관되고 정확한 지원을 제공한다. 가정에서는 청소부터 요리에 이르기까지 가사를 처리할 수 있다. 순찰 및 감시 능력을 활용하여 가정 보안도 강화할 수 있다.

고객 서비스 분야에서는 휴머노이드 로봇은 정보 데스크와 같은 고객 대면 역할에 사용될 수 있다. 대고객 환경에서 로봇의 존재는 고객을 끌어들이고 쇼핑 활동을 향상시킬 수 있다. 이 로봇은 학교와 훈련 센터에서 상호 작용 학습 경험을 제공하는 교육 도구로 사용될 수도 있다. 의료 훈련과 같은 시나리오에서 이 로봇들은 보다 효과적인 학습을 위해 인간 반응을 시뮬레이션할 수 있을 것이다.

이번에는 휴머노이드 로봇의 부정적인 요소들에 대해서 살펴보자. 우선 개인정보 침해 우려이다. 휴머노이드 로봇이 일상생활에서 사용될 경우, 개인적인 정보나 사생활이 쉽게 노출될 위험이 있다. 로봇이 수집한 데이터가 잘못 사용되거나 유출될 경우 개인의 프라이버시가 심각하게 침해받을 수 있다. 일자리 감소 문제도 충분히 예상된다. 로봇이 인간의 일자리를 대체하게 되면 노동집약적인 분야에서 심각한 고용 불안정이 발생할 수 있다. 이는 사회적 불균형을 초래하고 경제에 부정적인 영향을 미칠 수 있다.

휴머노이드 로봇의 상업화는 다양한 윤리적 문제를 제기하기도 합니다. 예를 들어, 로봇이 인간과 유사한 특성을 가질 경우, 로봇에 대한 적절한 대우나 권리에 대한 문제가 생길 수 있다. 또한 인간과 로봇 간의 관계에서 발생할 수 있는 윤리적 딜레마도 고려해야 할 것이다. 그리고 휴머노이드 로봇의 기술적 오류나 해킹 등으로 인해 안전상의 위험이 발생할 수 있다. 로봇이 예측하지 못한 행동을 할 경우, 인간에게 신체적 또는 정신적 피해를 줄 수 있을 것이다. 마지막으로 고가의 휴머노이드 로봇은 부유층과 빈곤층 사이의 격차를 더욱 심화시킬 수도 있다. 로봇을 통한 서비스나 혜택을 받을 수 있는 계층과 그렇지 못한 계층 간의 차이가 커질 수 있기 때문이다.

위와 같은 부정적인 요소를 걱정하는 사람들도 꽤 많지만 휴머노이드 로봇을 발전시키려는 수많은 시도들이 지금도 활발히 진행되고 있다. 비록 머스크가 예상하는 3년 후는 아닐지라도 현재 대부분 사람들이 사용하고 있는 휴대폰처럼 가성비가 좋은 휴머노이드 로봇이 우리 품에 안길 날이 멀지 않았다고 쉽게 예측해 볼 수 있다. 우리는 역사 속에서 대부분의 기술 발전 단계에서 많은 부정적인 요소와 걱정들이 상존하고 있었다는 것을 쉽게 발견할 수 있다. 그럼에도 기술은 끊임없이 발전을 해왔듯이 휴머노이드 로봇도 우리의 예상보다 훨씬 빨리 우리 곁으로 다가 올 것으로 예상된다.

인간의 마음을 읽는 AI기술

fMRI를 이용해 마음을 읽은 사진들 (사진출처 = 싱가포르국립대학교)

연인의 생각을 읽고 감동 이벤트 해주기, 비즈니스 협상에서 상대방의 의도를 미리 파악하여 계약을 성사시키기, 전신마비로 말을 못하는 환자가 뭘 원하는지 알고 해결해주기, 범죄 수사에서 범인의 생각을 읽어 진범 여부를 판단하기 등과 같은 일들이 현실에서 이루어 질 수 있을까? 인공지능이 현실화 되었는데 이제는 인간의 생각도 읽어주는 기술이 나오지 않았을까? 이런 상상력으로 이번 글을 접근해본다.

자료를 조사하다보니 이 분야에서 독보적인 전문가가 캘리포니아 UC버클리대 신경과학과 잭 갤런트 교수로 귀결이 된다. 그는 2005

년부터 꾸준히 기능성자기공명영상장치(fMRI)를 이용해 사람들의 머릿속에서 벌어지는 뇌 활동을 측정해 생각을 엿보는 작업을 꾸준히 해왔다. 2011년 9월에는 그는 동료 연구원들과 함께 생물학 저널 '커런트 바이올로지(Current Biology)'에 매우 흥미로운 논문을 발표했는데, fMRI에 피실험자들을 눕힌 뒤 짧은 동영상들을 보여주고는 그들이 무슨 영상을 봤는지 뇌 활동을 재현하는 실험에서 성공했다는 것이다. 그들은 이 데이터를 얻기 위해, 유튜브에서 무작위로 가져온 1800만초에 해당하는 영상을 사용했다고 한다.

내가 잭 갤런트 교수를 처음 알게 된 것은 뇌공학 전문가인 카이스트 정재승 교수가 2017년 8월 JTBC의 '차이나는 클라스' 프로그램에 나와서 보여준 몇 장의 비교 이미지들이 강하게 인상이 남은 탓이었다. 피 실험자가 코끼리와 하늘을 날아가는 새를 본 것을 fMRI 장치를 이용해 획득한 뇌활동 정보를 이미지화 시킨 것인데 비록 희미한 사진이었지만 원본의 이미지와 매우 비슷한 형태였다. 당시 방송에서 10년 뒤면 이미지의 해상도가 훨씬 개선될 것이라는 예측을 했던 것도 기억이 난다. 아직 2027년이 되진 않았지만 챗gpt가 인공지능 기술의 발전에 큰 촉매제 역할을 하고 있는 올해에 이 부분의 발전도 비약적으로 발전하리라 충분히 예상이 된다.

2023년 4월8일 NBC뉴스, 포춘 등 외신이 일제히 보도한 기사에서 인간의 뇌 스캔한 자료를 해독해 마음속으로 무엇을 그리는지 구현하는 인공지능(AI) 기술 즉 뇌파를 통해 우리가 생각하는 것을 스케치하는 강력하고 새로운 AI가 나왔다고 발표되었다. 싱가포르 국립대학교, 홍콩중문대학교, 스탠퍼드대학교 등 공동연구팀은 실험 참가자들이 fMRI 에서 빨간 소방차, 회색건물, 잎을 먹는 기린 등 1000장 이상이 사진을 보는 동안 뇌스캔을 진행하고 AI 모델에 이 신호를 보내 특정 뇌 패턴을 특정 이미지와 연결하도록 학습시켰다.

이후 참가자들에게 완전히 새로운 이미지를 보여줬을 때, fMRI는 참가자의 뇌파를 감지하고 AI 이미지 생성기를 통해 참가자가 본 이미지를 그려냈다. 이 실험에서 AI가 그려낸 스케치는 매우 놀라 웠다. 위 사진에서 볼 수 있듯이 곰, 도로, 비행기, 새, 시계탑, 열차 등 생성된 결과 이미지는 원래 이미지의 색상, 모양 등 속성과 거 의 84% 일치한 것으로 나타났다.

본 연구팀은 이번 연구를 위해 이미지 생성 AI 소프트웨어 '스테 이블 디퓨전(Stable Diffusion)'을 활용했다고 한다. 인공지능으로 그림을 그리는 기술은 내가 이전 글의 이미지를 만들 때 사용한 미 드저니(midjourney)가 가장 유명하지만 스테이블 디퓨전도 최근 무 척 각광을 받고 있는 프로그램이다, 2022년 8월 22일 출시한 스테 이블 디퓨전은 Stability AI에서 오픈소스 라이선스로 배포한 text-to-image 딥러닝 인공지능 모델이다. 독일 뮌헨 대학교 연구 실의 고해상도 이미지 합성 연구 기술을 기반으로 하여, Stability AI와 Runway ML 등의 지원을 받아 개발되었다.

특히 Stability AI는 영국인 에마드 모스타크(Emad Mostaque)가 사비를 들여 만든 회사로, 스테이블 디퓨전에 방대한 LAION-5B 데이터베이스를 학습시킬 수 있도록 컴퓨팅 자원을 제공하였다. 미 드저니, OpenAI의 Dall-e 2나 구글의 Imagen과 같은 기존 text-to-image 모델들과는 다르게 컴퓨터 사용 리소스를 대폭 줄여 4GB 이하의 VRAM을 가진 컴퓨터에서도 돌릴 수 있다.

또한 개발 비용이 클 것임에도 불구하고 오픈 소스로 공개해서 일반인들도 손쉽게 사용을 할 수 있어 사용자가 급격히 증가하고 있다. 뇌 스케치 연구팀은 "이번 연구가 장애 환자가 보고 생각하는 것을 회복하는데 크게 도움이 될 수 있다"며 "이상적인 경우 인간이 통신을 위해 휴대폰을 사용할 필요조차 없을 것"이라고 예측했다.

또 다른 AI 뇌과학 연구로는 2023년 5월2일 미국 오스틴 텍사스대 알렉스 후스 교수팀이 과학저널 '네이처 신경과학(Nature Neuroscience)'에서 이야기를 듣거나 상상하고 있는 사람의 뇌활동을 fMRI로 측정해 그 내용을 문장으로 재구성하는 인공지능(AI)시스템을 개발했다고 밝혔다. 연구팀은 이번에 개발한 '의미 해독기(semantic decorder)'는 피실험자의 50% 정도에서 참가자 생각을 거의 또는 정확히 일치하게 읽어냈다며 의식은 있지만 말을 못 하는 뇌졸중 환자 등의 의사소통에 기여할 수 있을 것이라고 했다.

의미 해독기 개발에는 챗gpt와 유사한 방식인 '트랜스포머 모델 (transformer model)'이 사용됐다고 한다. 이 모델은 문장 속 단어 같은 순차 데이터 내의 관계를 추적해 맥락과 의미를 학습하는 신경망이다.

본 연구팀은 해독기가 언어를 처리하는 것으로 알려진 뇌의 대부분 영역과 네트워크 활동에서 연속적인 언어를 추론할 수 있는 것으로 나타났다고 밝혔다. 이들은 단어 하나하나를 그대로 옮기는 게 아니라 참가자가 듣거나 생각하는 것의 요지를 포착하도록 AI를 설계했다며 해독기가 참가자의 생각과 거의 또는 정확히 일치하는 문장을 만들어냈다고 설명했다.

해독기는 실험에서 "운전면허가 아직 없다"는 말을 들은 참가자가 뇌활동에서 '아직 운전을 배우기 시작하지도 않았다'는 생각을 읽어냈고, 또 "소리를 질러야 할지, 울어야 할지, 도망쳐야 할지 모르겠으니 나 좀 내버려 둬'라는 말을 들은 참가자의 생각을 "소리 지르며 울기 시작하더니 '나 좀 내버려 두라고 했잖아'라고 해석했다. 이 연구는 아직 실험단계이지만 머릿속으로 생각하는 내용을 문장 수준으로 읽어낼 수 있는 뇌 해독기를 개발했다는데 큰 의미가 있다.

마음을 읽는 기술은 가장 먼저 뇌는 살아있으나 몸은 굳어버린

전신 마비환자나 루게릭 등 신경퇴행증에 걸린 환자를 치료하는 의료분야에서 가장 먼저 응용되리라 예상된다. 이 같은 환자들에게는 마음을 읽는 기술이 더없이 반가운 소식이 되겠지만, 남들이 자신의 생각을 훔쳐볼까봐 두려워하는 사람들에게는 이 기술이 무서운 두려움의 대상으로 다가올 것이다.

향후 이런 기술의 발전과 함께 나쁜 목적으로 이용되지 않도록 '정신적 프라이버시'를 보호하기 위한 정책 수립도 필수적으로 동반되어야 할 것이다. 나는 두려움보다는 힘들게 촬영하지 않아도 내 생각과 꿈만으로 영상으로 제작하여 쉽게 유튜브에 올릴 수 있는 편안한 유튜버의 삶을 기대해본다.

로보트 태권브이 같은 로봇의 제작이 가능할까?

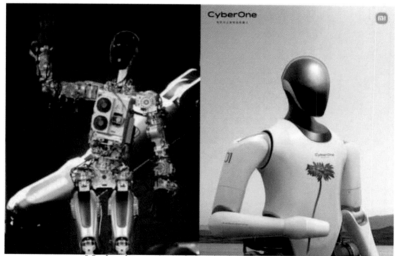

[휴머노이드 로봇 옵티머스와 사이버 원, 사진출처=테슬라, 샤오미]

어릴 적 우리에게 로봇에 대한 꿈을 심어 주었던 로봇태권브이나 마징가Z가 인공지능 AI가 보편화된 현재는 제작이 가능하지 않을까? 나도 모르는 사이에 이러한 로봇이 이미 비밀리에 만들어져 어딘가에 숨겨져 있지는 않을까? 비록 그들처럼 거대한 로봇은 아니더라도 내 아바타가 되어줄 인간과 가장 유사한 휴머노이드 로봇의 제작이 이제는 가능하지 않을까? 이번 글은 이런 궁금증에서 출발해 현재의 휴머노이드 로봇 발전현황과 함께 관련된 최신 기술들을 살펴보고자 한다.

이해를 돕기 위해 인공지능형 휴머노이드 로봇이 무엇인지 먼저 알아보자. 휴머노이드 로봇은 인간형 로봇으로 불린다. 특히 얼굴, 눈, 입과 함께 머리, 몸통, 두 팔, 두 다리 등 인간의 신체적 특성을 닮았을 뿐만 아니라 사용자의 입력에 따라 인간 및 다른 로봇과 의사소통하고 정보를 해석하며 특정 작업을 수행할 수 있는 능력을 가진 전문 서비스 로봇이라 할 수 있다. 이 로봇들은 주변 환경에 적응하고 목표를 지속할 수 있게 완전 자율화를 목표로 한다.

지금까지 선보인 휴머노이드 로봇의 특징들을 살펴보면 자가 유지보수, 자율 학습, 인간 및 환경과의 안전한 상호 작용을 포함한다. 이 로봇들은 사람이 할 수 있는 일 뿐만 아니라 사람이 할 수 없는 일도 실수 없이 할 수 있다. 인공지능(AI) 알고리즘을 적용한 휴머노이드 로봇은 의료 보조자, 지루하게 동작해야하는 훈련 보조기구, 다양한 신체 자세를 필요로 하는 어려운 작업 기능 등과 같은 헬스케어 산업계에 널리 적용될 수 있다. 게다가 휴머노이드 로봇들은 인터넷 데이터베이스에서 정보를 찾음으로써 스스로 교육 할 수 있는 능력을 가지고 있다. 이 로봇들은 항공우주산업과 방산업계에서도 침입자 자동감지 시 실시간 경보 전송을 하면서 재난 대응 지원에 사용되기도 한다.

이들은 초고속 컴퓨팅 처리속도를 사용해 작업자의 움직임을 예측하고 정확하게 반응할 뿐만 아니라 작업자에게 위험할 수 있는 작업을 수행해 이들의 안전을 최대한 보장한다. 휴머노이드 로봇의 유형에 따라 대체로 이족보행로봇과 바퀴 로봇 두 가지가 시장 경쟁력이 있는 것으로 평가받고 있다.

2021년에 테슬라의 일론 머스크는 사람처럼 생긴 휴머노이드 로봇을 선보이며 1년 안에 출시하겠다고 약속했다. 많은 사람들이 그 타당성을 의심했지만, 2022년 머스크는 일반 성인에게도 조금 무거운 9kg의 짐을 쉽게 들어 올리는 프로토타입 로봇 '옵티머스'를 공개했다. 비록 그가 장담했던 것과 같은 멋진 수준은 아니었지만 보급형 휴머노이드 로봇의 가능성을 보여주는 자리였다. 그리고 이에 조금 앞서 샤오미는 다양한 인간의 얼굴 표정을 인식할 수 있는 로봇 '사이버 원(Cyber One)'을 선보였는데, 이 로봇은 3D 환경을 이해하고 개인, 제스처, 표정을 식별하는 능력을 가졌다. 이를 차별화하는 것은 고급 AI 기반 의미 인식 엔진이다. 또한 85가지의 서로 다른 환경에서의 소리를 식별하고 45가지의 인간 감정 상태를 분류할 수 있는 음성 감정 감지 시스템을 보유하고 있어 많은 사람들의 관심을 불러 일으켰다.

이전과 달리 많은 사람들이 이제는 휴머노이드 로봇이 만화나 영화가 아닌 현실에서 만나는 세상이 되었다는 것을 잘 알고 있다. 이러한 로봇들은 신속하게 진화하여 우리 일상생활 속으로 점점 스며들고 있다. 이를 좀 더 이해하기 위해 대표적인 휴머노이드 로봇들의 발전과정에 대해서도 살펴보자.

이전에도 꽤 많은 로봇들이 공개 되었지만, 2000년에 일본 혼다가 개발한 휴머노이드 로봇 아시모를 처음 선보였을 때 대중들의 폭발적인 관심을 끌었다. 키는 130cm이고 무게는 54kg이었다. 인간의 움직임을 모방하도록 설계된 아시모는 걷고, 달리고, 춤추고, 계단을 오를 수 있었다. 음성, 얼굴, 몸짓을 인식하고 사람들과 상호작용할 수 있다. 로봇의 주요 활용 목적은 집이나 사무실과 같은 환경을 지원하는 것이었다.

2013년에는 이전과 현저히 차별화된 기능으로 등장한 보스턴 다이내믹스의 '애틀러스(Atlas)'가 출현했다는 점이 괄목할만하다. 이 로봇은 현재도 가장 진보된 두 발로 걷는 인간형 로봇 중 하나이다. 애틀러스는 다양한 지형에서 균형을 잡고 걷거나 달릴 수 있으며 물체를 들거나 회피하는 능력도 갖추고 있다. 이 로봇은 주로 탐색, 탐사 및 구조 임무에 사용되도록 설계되었다. 이 회사는 애틀러스를 지속적으로 업그레이드하여 더 많은 기능과 능력을 추가하고 있다. 최근에 이 로봇은 자유롭게 뒤집을 수 있으며, 뛰어넘거나 돌을 피해갈 수 있는 능력도 보여주었다. 또한 물체를 잡고 들어 올리는 것을 포함한 다양한 조작 작업을 수행할 수 있다. 애틀러스는 다양한 센서에 의해 주변 환경을 신속하게 인식하고 어려운 장애물을 피하며 목표로 이동할 수 있다. 이 센서와 알고리즘 덕분에 애틀러스는 높은 수준의 자율성을 보여준다. 2021년 현대자동차가 이 회사를 인수하면서 국내에서 큰 뉴스가 되었다.

2016년에 공개된 소피아라는 인공 지능 휴머노이드 로봇도 대중의 큰 관심을 받았다. Hanson Robotics라는 홍콩의 회사가 개발하였다. 소피아는 인간과의 대화를 통해 학습하며, 다양한 표정과 몸짓을 통해 감정을 표현할 수 있다. 또한, 이 로봇은 인간처럼 눈동자 움직임, 눈썹 움직임, 입 모양 변경 등 60가지 이상의 다양한 움직임을 구현할 수 있다. 2017년에는 사우디아라비아에서 시민권을 받아 눈길을 끌었다. 소피아는 기술, 의료, 교육 등 다양한 분야에서 의미 있는 활용 가능성을 보이며 세계적인 관심을 받고 있다.

2019년에는 에이다(Ai-Da)라는 인간형 로봇 예술가가 나왔다. 이 로봇은 인간 예술가처럼 그림을 그릴 수 있으며, 자신만의 스타일로 작품을 창작한다. 인공 지능을 활용하여 시각적인 자료를 분석하고, 그 결과를 바탕으로 스케치와 그림을 그린다. 에이다는 또한 시와 소설을 작성하는 능력도 가지고 있다. 이 로봇은 예술의 경계를 무너뜨리는 동시에, 기술이 인간의 창조력 영역까지 확장될 수 있음을 보여주는 사례로 평가받고 있다.

2021년에는 Engineered Arts라는 영국 회사에서 공개한 아메카(Ameca)가 이슈가 되었다. 아메카는 혁신적인 기술을 사용하여 인간의 표정과 움직임을 놀랍게도 자연스럽게 재현한다. 이 로봇의 얼굴은 실리콘 스킨으로 제작되었으며, 40개 이상의 움직이는 부품을 포함하고 있어 다양한 표정을 만들어낼 수 있다. 아메카는 카메라, 마이크, 다양한 센서를 통해 환경을 인식하며, 이를 통해 사람들과 상호작용한다. 또한 인공 지능을 활용하여 대화를 나누고 사람들의 반응과 감정을 해석할 수 있다.

끝으로 우리나라의 대표적인 휴머노이드 로봇 휴보(Hubo)에 대해서도 알아보자. 휴보는 KAIST에서 개발된 인간형 로봇이다. 2004년에 처음 공개되었으며, 다양한 버전으로 업그레이드되고 있다. 휴보의 첫 모델은 약 120cm의 키에 55kg의 무게가 나갔다. 그 뒤에 나온 모델들도 인간과 친해지기 쉽게 120~150cm의 키를 유지해오고 있다. 걷기, 계단 오르기, 문 열기, 악수하기, 밸브 잠그기, 장애물 피하기, 운전하기 등의 동작이 뛰어나다. 특히 재난 구조 임무나 다양한 연구 목적으로 활용되며, 2015년 DARPA가 주최한 세계재난로봇대회(DRC)에서 뛰어난 성능으로 우승하여 우리나라의 로봇 실력을 전 세계에 과시하는 계기가 되었다.

휴머노이드 로봇의 성능을 높이기 위해서는 다양한 기술들이 필요하다. 예를 들어, 자연 언어 생성, 음성 인식, 가상 에이전트, 머신 러닝 플랫폼, AI 최적화 하드웨어, 의사 결정 관리, 딥 학습 플랫폼, 생체 인식 등의 기술들이 있다. 이러한 기술들은 로봇이 인간과 유사한 방식으로 의사소통하고, 학습하며, 의사 결정을 내리는 데 필수적이다. 이번에는 다양한 휴머노이드 로봇에 적용할 수 있는 최신 기술들에 대해서도 하나씩 살펴보자.

맨 처음, 머리 부분에 적용할 기술인데 최신 카메라와 센서 기술을 사용하여 로봇이 주변 환경을 인식하도록 할 수 있다. 이와 관련된 최신 기술을 예로 들면, Intel의 RealSense 3D 카메라는 깊이 인식 기능을 갖추고 있어 객체 간의 거리를 정확히 측정할 수 있다.

두 번째 머리 부분에 적용할 기술로는 음성 인식 기술이 있다. Google의 BERT나 OpenAI의 GPT-4와 같은 NLP 모델을 사용하여 사람의 목소리를 인식하고 가장 잘 이해할 수 있을 것으로 판단된다.

세 번째, 몸통(Torso)부분에 탑재될 중앙 처리 장치 (CPU) 및 그래픽 처리 장치 (GPU) 부분의 최신 기술로는 NVIDIA의 Jetson AGX Xavier가 있다. 이와 같은 고성능 컴퓨팅 모듈은 실시간 데이터 처리와 딥러닝 태스크에 가장 적합하다.

네 번째, 배터리도 보통 몸통 부분에 들어가야 할 부품인데, 최신의 배터리 기술 중 하나인 전고체 배터리를 여기에 적용할 수 있을 것이다. 전고체 배터리는 양극과 음극 사이에서 이온을 전달하는 '전해질'을 기존 가연성의 액체에서 고체로 대체한 전지를 말한다. 이러한 전고체 배터리는 작은 크기 안에 더 많은 에너지를 저장할 수 있어 잠재적으로 전기차의 1회 충전 주행 거리 확대에도 기여할 수 있으며 휴머노이드 로봇에 적합하다. 전고체 배터리는 전하의 이동 속도를 높여 충전 시간을 단축할 수도 있다. 또한 기존 배터리에서는 전해질에 가연성 용매가 일부 사용되기 때문에 전고체 배터리가 화재 위험을 낮춰 안전성을 높인다고 주장한다. 밧데리 분야의 선두주자인 우리나라의 LG, 삼성, SK, 포스코 등 4개 회사들이 리튬 이온 배터리의 차세대 제품으로 방향을 잡고 성능 개선에 역량을 모으고 있다

다섯 번째, 팔과 손 부분에서는 모터와 액추에이터가 주요 부품인데 Maxon과 같은 회사의 브러시리스 DC 모터는 정밀한 움직임과 고성능 기술을 제공할 것이라 생각된다. 그리고 보스턴 다이내믹스의 애틀러스에 적용된 'Spot'라는 액추에이터가 가장 발달된 제품이라 할 수 있다. 한편 '로보티즈'라는 국내회사에 만든 '다이나믹셀'이라는 액추에이터도 세계적으로 인정받은 제품이다.

여섯 번째, 촉각 센서 기술에 있어서는 피부에 내장된 택타일 센서를 사용하여 객체를 잡거나 만질 때의 압력을 감지할 수 있다. 택타일 센서는 사람의 피부에 붙일 수 있는 패치형 센서 기술로, 작은 스티커 형태의 패치형 센서는 호흡, 맥박 등 생체신호뿐 아니라 땀 성분 분석, 움직임 감지, 무선통신 기능까지 갖추고 있다.

일곱 번째, 다리와 발에 해당하는 이동 메커니즘 부분인데 보스턴

다이내믹스의 애틀러스와 같은 로봇은 다양한 지형에서의 균형 유지와 빠른 움직임을 위한 복잡한 관절 구조를 갖고 있어 이 부분에서는 독보적인 기술이라 할 수 있다.

여덟 번째는 접지 감지부분에 적용될 6축 힘/모멘트 센서이다. 로봇의 발에 설치되어 3개 방향의 힘(Fx, Fy, Fz)과 3개 방향의 모멘트(Mx, My, Mz)를 측정하는 센서이다. 이 센서는 인간형 로봇이 불규칙한 지면을 안전하게 이동할 수 있도록 설계되었다. 그리고 이 센서는 로봇의 무게를 지탱할 수 있는 큰 강성과 로봇의 움직임을 방해하지 않는 작은 크기를 가져야 한다.

아홉 번째는 로봇 운영체제 (ROS,Robot Operating System)이다. 로봇 응용 프로그램을 개발할 때 필요한 하드웨어 추상화, 하위 디바이스 제어, 일반적으로 사용되는 기능의 구현, 프로세스간의 메시지 패싱, 패키지 관리, 개발환경에 필요한 라이브러리와 다양한 개발 및 디버깅 도구를 제공한다. ROS는 로봇 응용 프로그램 개발을 위한 운영체제와 같은 로봇 플랫폼이다.

마지막으로 텐서플로(TensorFlow)와 파이토치(PyTorch) 같은 머신러닝 프레임워크도 매우 중요하다. 텐서플로와 파이토치는 현재 머신러닝 프레임워크의 점유율을 양분하고 있는 두 가지 프레임워크이다. 텐서플로는 구글이 개발한 오픈소스 소프트웨어 라이브러리로, 머신러닝과 딥러닝을 쉽게 사용할 수 있도록 다양한 기능을 제공한다. 파이토치는 페이스북에서 개발한 오픈소스 머신러닝 라이브러리로, 딥러닝, 자연어 처리 및 컴퓨터 비전 등의 연구 분야에서 널리 사용된다. 이 두 프레임워크 모두 각각의 장단점이 있으며, 사용자의 필요에 따라 선택할 수 있다. 예를 들어, 파이토치는 코드가 상대적으로 간결하여 복잡한 모델을 구현하는 연구자들에게 인기가 있고 텐서플로는 세분화되고 복잡한 코드로 인해 기업에서 세세하게 구현해야하는 경우에 좋아할 만한 프레임워크이다.

최신의 인공지능 기술과 제조 기술을 활용하여 최고의 성능을 가진 휴머노이드 로봇을 제작하는 것은 매우 흥미로운 주제이다. 현재, 휴머노이드 로봇은 부분적이나마 다양한 분야에서 활용되고 있으며, 그 성능은 지속적으로 발전하고 있습니다. 샤오미와 테슬라가 내놓은 사이버 원과 옵티머스 같은 보급형 휴머노이드 로봇은 아직 갈 길이 멀지만, 인간의 형상을 닮은 2족 보행 로봇으로, 로봇 전문 업체나 연구소가 아닌 세계적 규모의 비전문 로봇 업체에서 나왔다는 게 주목할 만한 사항이다.

가까운 미래에 휴머노이드 로봇은 우리의 일상생활에서 더욱 활용될 것이며, 고급 AI로 인해 계속 학습하고 세련된 방식으로 자동 결정을 내릴 수 있게 될 것이다. 더 나아가, 인간의 감정을 인식하고 반응하며, 경제와 노동 시장에 큰 영향을 미칠 것으로 예상된다. 하지만 로봇의 광범위한 도입에는 윤리적, 안전상의 문제 또한 필수적으로 고려할 필요가 있다

공간 컴퓨팅의 시대가 온다

애플 비전프로 헤드셋 [사진출처= 애플]

2023년 6월 5일(미국 현지시간) 애플 본사에서 개최된 세계개발
자회의(WWDC 2023)에서 팀 쿡 최고경영자는 '비전 프로(Vision
Pro)'라는 헤드셋을 공개했다. 애플은 비전 프로를 혼합현실 헤드셋
이란 용어 대신 '착용형 공간 컴퓨터'라고 명명했다. 스키 고글 모
양으로 헤드셋을 눈에 맞춰 쓰면 앱 화면과 영상 등이 현실 공간에

떠 있는 모습으로 구현된다. 눈동자 움직임과 목소리 등을 통해 앱을 실행하거나 멈출 수 있다. 손가락을 움직여 가상 화면을 키우거나 줄이는 기술로 영상을 최대 30m까지 키울 수 있어 어디서나 영화관 같은 분위기를 낼 수 있다고 한다.

이를 위해 비전 프로에는 R1과 M2 듀얼 칩, 2개의 4K OLED 디스플레이, 12개의 카메라, 5개 인식 센서, 6개의 마이크 등 다양한 장치와 함께 새로운 Vision OS를 탑재하였다. 특히 비전 프로를 이용해 영상 통화(페이스타임) 하는 소개 영상에 관심이 집중됐는데 눈앞에 전화 상대방이 실물 크기로 보이고 앞에서 들리는 듯한 공간 음향 기술이 적용됐다. 실제 대화하는 듯한 경험을 준다는 뜻이다. 이와 함께 애플은 곁에 사람이 다가오면 고글 글래스가 밝아져 사용자의 얼굴이 보이게 되는 '아이사이트(EyeSight)'라는 새로운 기능을 통해 다른 사람들로 부터 고립되지 않게 만들 것이라고도 약속했다.

2024년 초부터 판매를 시작한 비전프로는 한화로 5백만원이 넘는 가격이라 일반 소비자들 입장에서는 부담이 되는 가격이다. IT 분야 유명 유튜버들이 직구를 통해 구매한 제품을 앞 다투어 리뷰를 하여 나도 간접적으로나마 기능을 체험을 할 수 있었다. 솔직한 소감으로는 아직은 갈 길이 멀다는 것이다. 제일 큰 단점은 사이즈가 큰 고글에 대한 이질감과 무게감이다. 하지만 공간 컴퓨팅을 선도하는 애플의 기술은 지속적인 발전을 해 나리라는 점을 믿어 의

심치 않는다.

이 같은 추세에 발맞춰 삼성도 퀄컴, 구글과 협력해 개발 중인 메타버스 확장현실(XR) 헤드셋 (일명 '갤럭시 글래스')을 올해 말 전에 출시 준비하고 있다고 보도된 바 있다. 그리고 마크 저커버그가 이끄는 페이스북의 모회사 메타도 지난 2023년 6월1일 이전 모델 대비 40% 정도 얇고 해상도와 디스플레이를 개선한 최신 VR 헤드셋 '퀘스트3'를 공개한 바 있다. 가격은 비전프로의 1/7 가격인 499달러(약 65만원)에 공식 출시하였다.

이처럼 글로벌 기업들이 모두 "공간 컴퓨팅" 분야에 개발력을 집중하고 있어 이번 글은 다소 생소할 수 있는 이 기술에 대해 다루고자 한다. 항상 인간의 상상력으로 현존 기술을 앞서가는 영화에서 먼저 공간 컴퓨팅 기술을 만나 볼 수 있다. 대표적인 영화가 에일리언2(1986)와 매트릭스(1999)이다. 먼저 제임스 카메룬 감독의 에일리언2에서는 모션트래커, 파워로더, 우주선 인터페이스, 의료용 스캐너 등이 나오는 장면에서 구체적으로 공간 컴퓨팅이란 용어를 사용하지는 않았지만 현재의 3D 환경의 AR, VR을 컴퓨터 그래픽으로 보여주었다.

1999년에 개봉한 매트릭스에서도 공간 컴퓨팅을 직접 언급하지는 않았지만 매트릭스란 개념은 일종의 총체적 가상현실 또는 시뮬레이션된 현실로서 공간 컴퓨팅의 몰입적 특성과 유사성이 있다.

영화에서 인간은 자신의 몸이 정체 상태에 있는 동안 매트릭스라는 완전히 시뮬레이션된 현실 속에서 자신도 모르게 살고 있다. 시뮬레이션은 매우 포괄적이고 상세하여 대부분의 사람들은 자신이 컴퓨터 프로그램 내에서 살고 있다는 사실을 인식하지 못한다.

매트릭스 내의 사람들은 마치 실제 세계에 있는 것처럼 환경, 사물 및 다른 사람들과 상호작용한다. 매트릭스는 모든 것을 아우르는 가상현실과 유사한 완전한 시뮬레이션 환경이고 이것은 디지털 세계와 물리적 세계가 함께 혼합되어 몰입형 경험을 만드는 공간 컴퓨팅과 유사하다. 그 외에도 공간인식, 감각 피드백, 신경 인터페이스 등이 등장하는 장면들은 현재 구현 가능한 공간 컴퓨팅 입력 방법보다도 훨씬 더 발전된 개념을 다뤘다.

공간 컴퓨팅이라는 용어는 MIT 미디어랩(MIT Media Lab) 출신 시몬 그린우드(Simon Greenwold)가 2003년 발표한 자신의 논문에서 처음 사용한 용어이다. 이후 최근에서야 환경, 인간, 객체를 추적하는 인공지능(AI), 카메라 센서 및 컴퓨터 비전, 제품 및 자산을 모니터링하고 관리하는 사물 인터넷(IoT), 인간 사용자 인터페이스를 제공하는 증강 현실(AR) 등의 새로운 기술의 발전에 힘입어 그린우드의 논문에서 다루었던 내용과 비전을 실현할 수 있게 되어 애플의 비전 프로 같은 제품이 선보이게 된 것이다.

공간 컴퓨팅은 인간이 2차원 화면이 아닌 주변의 물리적 3차원 공간에서 컴퓨터와 상호 작용할 수 있도록 하는 일련의 기술이다. 이는 기존의 화면 기반 상호 작용에서 보다 몰입감 있고 직관적인 형태의 컴퓨팅으로의 전환을 나타낸다. 공간 컴퓨팅의 목표는 인간과 컴퓨터의 상호 작용을 인간이 물리적 세계와 상호 작용하는 방식과 더 유사하게 만드는 것이다. 공간 컴퓨팅에 사용되는 주요 구성 요소 및 기술을 정리하면 아래와 같다.

첫째, 3D 사용자 인터페이스이다. 기존 인터페이스는 일반적으로 2D이며 사용자가 평면 스크린과 상호 작용해야 한다. 반대로 3D 사용자 인터페이스는 3차원 공간에서 디지털 개체와의 상호작용을 허용한다. 여기에는 3차원 사용자 입력을 이해 및 처리하고 3차원 출력을 생성하는 것이 포함된다.

둘째, 컴퓨터 비전 및 이미지 인식 기술이다. 컴퓨터는 상호 작용하기 위해 주변 세계를 보고 이해할 수 있어야 하고 사물, 사람, 공간적 관계를 식별해야 한다. 이는 카메라와 기타 센서를 사용하여 이미지를 캡처한 다음 알고리즘이 이러한 이미지를 분석하여 패턴과 개체를 식별하는 컴퓨터 비전 기술을 통해 달성된다.

셋째, 증강 현실(AR) 및 가상현실(VR) 기술이다 AR 및 VR은 현재 공간 컴퓨팅이 적용되는 주요 방식이다. AR은 디지털 콘텐츠를 현실 세계에 오버레이 하여 가상 현실과 물리적 현실을 혼합한다. 반면 VR은 사용자를 완전한 디지털 환경에 몰입시킨다. 둘 다

사실적이고 상호작용적인 경험을 제공하기 위해 공간 인식이 필수적이다.

넷째, 공간 매핑 및 추적 기술이다. 물리적 공간 내에서 상호 작용하려면 컴퓨터가 해당 공간의 레이아웃을 이해해야 한다. 공간 매핑은 깊이 센서와 카메라를 사용하여 물리적 환경의 디지털 지도를 생성한다. 공간 추적은 해당 환경 내에서 사용자의 움직임을 모니터링 한다.

다섯째, 머신 러닝 및 AI 기술이다. AI 및 머신 러닝은 컴퓨터가 수신한 입력으로부터 학습할 수 있도록 하여 공간에 대한 이해와 사용자 상호 작용에 대한 반응을 향상시키므로 공간 컴퓨팅에 가장 중요하다. 이는 제스처 인식, 객체 인식, 사용자 행동 예측 모델링과 같은 영역에서 매우 필수적이다.

여섯째, 햅틱 피드백 기술이다. 이것은 진동 또는 기타 감각을 사용하여 실제 물체 및 상호 작용의 느낌을 모방하는 감각 피드백의 한 형태이다. 이를 통해 사용자가 상호 작용하는 디지털 개체를 느낄 수 있는 VR/AR 설정에서 몰입형 경험을 크게 향상시킬 수 있다.

일곱째, 제스처 인식기술이다. 이 기술을 통해 컴퓨터는 인간의 제스처를 이해할 수 있으므로 사용자는 자연스러운 손과 몸의 움직임을 사용하여 디지털 콘텐츠와 상호 작용할 수 있다. 이를 위해서는 제스처를 올바르게 분석하고 해석하기 위해 머신 러닝과 AI가 필요하다.

여덟째, 웨어러블 기술이다. VR/AR 헤드셋, 스마트 안경, 햅틱 수트와 같은 웨어러블 기술은 공간 컴퓨팅 가능하게 하는 데 자주 사용된다. 이러한 장치는 사용자의 움직임을 추적하고 햅틱 피드백을 제공하며 사용자의 물리적 공간 내에서 디지털 콘텐츠를 표시할 수 있다.

아직 초기 단계인 공간 컴퓨팅은 IoT, AR/MR, AI와 같은 실행 기술이 보다 광범위하게 채택되고 새로운 위치 데이터 소스가 캡처되고 활용됨에 따라 게임, 디자인, 의료, 교육 및 원격 작업을 포함한 다양한 분야의 산업에서 큰 관심을 받게 될 것이다. 그리고 이 기술은 디지털 트윈, 메타버스, 시뮬레이션, 앰비언트 컴퓨팅에서 앞으로 가장 중요한 기반이 될 것이며, 그런 측면에서 대규모 공간 컴퓨팅 지원 기능은 앞으로 클라우드 서비스 사업자들에게는 핵심 사업이 될 수도 있다.

꿈의 레벨 5 완전 자율주행차는 언제 만날 수 있을까

크루즈 오리진 [사진출처= GM]

자율주행차란 말을 들어본지가 꽤 되었지만 아직도 만화영화 속의 로봇태권브이가 그러하듯이 우리 곁에 상용화된 완전 자율주행차가 나왔다는 뉴스는 전해지지 않고 있다. AI 적용분야에서도 난이도가 가장 높다는 자율주행 레벨 5의 상용 자동차가 언제쯤 우리 품에 안길 수 있을까 하는 기대감 속에 이번 글에서는 관련 기술,

규정, 그리고 개발 단계에 대해서 다뤄 보기로 한다.

자율주행차를 이야기하려면 먼저 ADAS(첨단 운전자 지원 시스템, Advanced Driver Assistance System)에 대해서 알아볼 필요가 있다. ADAS는 1950년대에 ABS(Anti-lock Braking System)가 채택되면서 사용되었던 개념이다. 이후 많은 기술 발전을 거듭해 이제 ADAS는 우리 주변에서 점점 더 흔하게 볼 수 있는 기술이 되어가고 있다. 대부분의 차량 사고는 우리의 실수 때문에 발생하는데, 이러한 인간의 오류를 최소화하기 위해 ADAS가 개발되었다. 이 시스템은 차량 내부의 첨단 기술을 활용하여 운전자를 도와 사고의 위험을 줄이는 역할을 한다.

ADAS의 핵심은 차량에 장착된 다양한 센서들이다. 이 센서들은 레이더나 카메라와 같은 기술을 사용하여 차량 주변의 환경을 실시간으로 인식하고 분석한다. 예를 들어, 다가오는 보행자나 앞차와의 거리, 사각지대에 있는 물체 등을 감지하고 이를 운전자에게 알려주거나 필요한 경우 자동으로 조치를 취한다. ADAS에는 다양한 기능들이 포함되어 있다. 보행자 감지, 차선 이탈 경고, 자동 비상제동 등의 기능은 운전자의 안전을 위해 중요한 역할을 합니다. 또한, 고급 크루즈 컨트롤이나 자동주차, 운전자 졸음 감지와 같은 기능들은 운전의 편의성을 높여준다.

최근에는 5G와 같은 통신 기술과 결합하여 차량 간 또는 차량과 보행자 사이의 실시간 통신을 가능하게 하는 V2X 기술도 주목받고 있다. 이러한 기술의 발전은 운전자의 안전뿐만 아니라 도로 상황의 안전성 전반을 향상시키는 데 크게 기여하고 있다.

ADAS 기술은 운전자와 탑승자의 안전을 위해 도로 상황에서 주행의 특정 부분을 자동화하고 추가적인 정보를 제공하도록 설계되었다. 이 기술을 실제 도로 상황에 효과적으로 적용하기 위해서는 엔지니어들이 그 기능을 정확하게 이해하고 안전하게 설계하는 것이 중요하다. SAE(Society of Automotive Engineers)는 ADAS의 성능과 기능을 규정하는 6개의 레벨을 제정했는데, 이는 SAE J3016 표준으로 알려져 있다. 이 레벨들은 자동화의 정도에 따라 아래와 같이 구분된다.

레벨 0: 자동화 기능이 전혀 없으며, 운전자가 모든 주행을 담당한다.

레벨 1: 기본적인 자동화 기능, 예를 들면 어댑티브 크루즈 컨트롤이나 자동 비상제동이 포함되어 있지만, 운전자가 주행을 주도해야 한다.

레벨 2: 차선 중앙 유지나 자동 차선 변경 같은 고급 기능이 포함되어 있으나, 운전자는 항상 주의를 기울여야 한다.

레벨 3: 특정 조건에서는 차량이 대부분의 주행을 스스로 수행하지만, 상황 변화 시 운전자가 즉시 제어를 해야 할 수 있다.

레벨 4: 대부분의 상황에서 차량이 스스로 주행을 수행하지만, 특별한 상황(악천후, 도로공사 등)에서는 운전자의 개입이 필요할 수 있다.

레벨 5: 완전히 자율주행이 가능한 차량으로, 운전자의 개입이 전혀 필요하지 않는다.

각 레벨별로 기술이나 적용단계를 좀 더 상세히 알아보면 레벨 1은 시판 차량에서 이미 표준화되었다. 자율주행 레벨 1에서는 차량 제어 중 '세로 방향' 또는 '가로 방향' 중 하나를 시스템이 한정된 범위에서 수행한다. 즉, 액셀과 브레이크를 통한 '전후(가속 및 감속)' 제어나 핸들 조작을 통한 '좌우' 제어 중 하나를 시스템이 도와준다. 대표적으로 앞 차를 따라가는 ACC(어댑티브 크루즈 컨트롤), 충돌 피해를 줄이는 브레이크, 차선이탈 방지(LKA) 등의 기능이 있다.

충돌 피해를 줄이는 브레이크는 경트럭이나 수입차를 제외한 신형차에 필수적으로 탑재되며, 거의 기본 장비로 취급된다. 2020년의 승용차 안전 장비 장착 상황에 따르면, 충돌 피해를 줄이는 브레이크의 장착률은 95.8%, ACC는 32.6%, LKA는 45.7%라고 한다.

레벨 2는 현재 시판 차량에서 주요 제품으로 나온다. 자율주행 레벨 2에서는 차량 제어 중 세로와 가로 방향의 보조 업무를 시스템이 한정적으로 수행한다. 레벨 1에서는 세로나 가로 중 하나만 가능했지만, 레벨 2에서는 둘 다 가능하다. 예를 들면, ACC로 세로 방향 제어와 LKA로 가로 방향 제어를 동시에 지원하여, 같은 차로에서의 주행을 전반적으로 도와준다.

이 기능이 발전하면 특정 조건에서 핸들에서 손을 뗄 수 있는 '핸즈오프' 운전이 가능하다. 단순히 운전을 도와주는 기능이며, 차량 제어의 책임은 여전히 운전자에게 있다. 핸즈오프 기능은 레벨 2의 한 부분이며, '고도 레벨 2', '레벨 2+', '레벨 2.5' 등으로도 불린다.

핸즈오프 기능이 탑재된 차량 중 일본의 닛산 'ProPILOT2.0', 혼다 'Honda SENSING Elite', 토요타 'Advanced Drive', '벤츠 10세대 E350 4매틱 AMG 라인' '볼보 EX90'등이 있다. 핸즈오프 기능이 탑재된 차량은 점차 늘어날 것으로 보인다.

2019년 일본 야노경제연구소의 조사에 따르면, 2018년 레벨 2 탑재 차량은 약 270만 대, 레벨 2+는 2,000대였고, 2030년에는 레벨 2는 약 2,100만 대, 레벨 2+는 약 3,100만 대로 증가할 것으로 예상된다. 2023년경에는 시판 차량의 주력이 레벨 1에서 레벨 2로, 2025년 이후에는 레벨 2에서 레벨 2+로 바뀔 것으로 예상된다.

레벨 3에서는 핸즈오프와 아이즈오프가 가능하다. 레벨 3(조건부 운전 자동화)에서는 특정 조건 하에서 시스템이 운전을 전담한다. 그러나 시스템이 운전을 계속하기 어렵다고 판단하면 운전자에게 운전을 넘겨달라고 요청한다. 이때 운전자는 빠르게 반응해야 한다. 레벨 3은 본격적인 자율주행의 첫 번째 단계로, 시스템이 운전 중일 때 운전자는 주변을 확인하지 않아도 되고, 핸즈오프와 아이즈오프가 가능하다.

시스템이 작동하는 ′ODD′(운행 설계 영역)는 시스템마다 다르다. 예를 들면, ′폭우 오는 날 고속도로에서 시속 60km 이하′ 등으로 설정된다. ODD를 벗어나거나 시스템이 어려움을 느낄 때, 시스템은 운전자에게 운전을 넘겨달라고 요청한다. 그러므로 운전자는 잠을 자면 안 된다.독서나 간단한 식사 등도 위반될 수 있으므로 주의가 필요하다.

레벨 3을 탑재한 차량으로는 혼다의 ′LEGEND′, 메르세데스 벤츠의 ′S 클래스′와 ′EQS′, 볼보의 ′라이드 파일럿′, BMW의 ′7시리즈′등이 있다. 현대도 2022년 ′G90′에 레벨 3를 탑재한다고 발표하였으나 추가 검증을 위해 2023년 하반기로 출시가 미뤄진 상황이다.

레벨 4는 운전자의 개입을 필요로 하지 않는다. 레벨 4(고도 자율주행화)에서는 특정 조건 하에서 시스템이 모든 운전을 담당한다.

ODD 내에서 운전자 없이 자율주행이 가능하며, ODD를 벗어나더라도 차량을 안전하게 정지시킨다. 이를 '운전자 프리'라고도 부른다. 이러한 특징을 활용하여 이동 서비스나 운송 서비스에 도입하는 움직임이 활발하다. 개발되는 차량은 수동 운전 장치가 있는 모델부터 자율주행에 특화된 모델까지 다양하다. 실제로 많은 레벨 4 서비스에서는 원격으로 차량을 감시하고 조작하는 시스템을 사용한다. 이는 기술이 발전 중이며 안전을 중요시하기 때문이다.

미국의 Waymo는 2018년 12월에 애리조나주에서 자율주행 택시 서비스를 시작했다. 그 후 다양한 기업들이 이를 따라 자율주행 서비스를 시작했다. 자율주행 셔틀 분야에서는 프랑스의 Navya와 EasyMile이 선두주자이다. 미국과 중국에서는 자율주행 트럭의 개발도 활발하다. 이스라엘의 Mobileye는 2024년에 중국에서 레벨4 차량을 출시할 계획이다.

일본 야노경제연구소의 조사에 따르면, 2030년에는 레벨 4 차량이 1,530만 대에 이를 것으로 예상된다. 2030년대에는 자율주행차가 수동 운전 차량을 넘어설 가능성이 있다.

레벨 5는 아직은 높은 기술 장벽에 도전하는 단계다. 레벨 5(완전 자율주행)는 모든 상황에서 무인 운전이 가능한 수준을 의미한다. 어떤 도로, 속도, 지역에서도 수동 운전 없이 자율주행이 가능하다. 악천후, 도로공사, 사고 등으로 주행이 어려울 때도 안전하게 정지하거나 다른 경로를 찾아 계속 운행한다. 인간의 개입은 필요하지 않다.

레벨 0부터 5까지의 자율주행 단계 중 레벨 4의 상용화에 제대로 도달한 회사는 없고, 레벨 3에 도달한 회사 또한 소수이다. 국내 현대차그룹의 레벨 3 자율주행 기술 적용도 계속 지연되고 있다. 중국전문가포럼에서는 레벨 4 자율주행차의 대량 상용화를 위해 15년이 더 필요하다는 예측도 나왔다.

현재 기술로는 레벨 5의 상용화 달성하기 쉽지 않다. 그동안 완성차 업체들은 전기차 전환과 함께 자율주행 기술에도 큰 투자를 했다. 현대자동차그룹은 스타트업 포티투닷을, GM은 크루즈를, 스텔란티스그룹은 AI모티브를 인수했다. 이러한 움직임에도 불구하고 자율주행 기술 상용화는 쉽지 않다는 사실이 드러나고 있다. 아르고AI는 큰 투자를 받았지만 6년 만에 문을 닫았다. 현대자동차도 자율주행 투자로 큰 손실을 보고 있다. 자율주행 시장은 분명 크게 성장할 것으로 기대되지만 큰 투자비용이 필요하다.

자율주행에 대한 소비자들의 부정적 인식도 커지고 있다. 사고 사례 때문에 기술의 안전성에 대한 의문이 생기고 있다. 자율주행차의 윤리적 문제와 현실적인 딜레마도 있다. 제도적 한계도 존재하며, 선제적인 제도 정비가 필요하다.

2020년 미국 제너럴모터스는 세계 최초로 레벨5 자율주행 기능이 적용된 '오리진'을 선보였다. 이후 주행 테스트를 이어가는 과정에서 앞차와 추돌 사고가 발생하기도 했지만 2022년 11월에 샌프란시스코에서 공공도로를 달리는 로보택시의 운행 허가를 신청하여 본격적인 테스트에 들어간다고 전해졌다. 아직은 미완으로 남아 있는 레벨5 등급의 자율주행차지만 머지않을 미래에 운전에 신경 쓰지 않고 편안하게 앉아서 장거리 여행을 다니는 내 모습을 상상을 해보면서 이글을 마무리한다.

◇◆◇◆◇

6장. 멀티모달은 생산성이다

챗gpt, 멀티 모달 기술로 거듭나다

[챗gpt로 그린 멀티 모달]

이번에는 챗gpt에서 얼마 전부터 도입하기 시작한 '멀티 모달 (Multi modal)' 기술에 대해 하나씩 살펴보고자 한다. 물론 이 기능들은 월간 정기 결제를 하는 유료 사용자에게만 우선 제공하고 있다. '멀티 모달'이라는 용어는 이미 생활 속에서 종종 접할 수 있을 만한 기술 관련 용어다. 그렇다면 멀티 모달은 무엇일까?

멀티 모달은 두 개 이상의 다른 모드 또는 채널을 사용하여 정보를 전달하거나 받는 방식을 말한다. 스마트폰에서 음성과 텍스트, 이미지를 동시에 인식하고 처리하는 것이 그 예다. 또한, 이 기술은 사용자와 기계간의 상호 작용을 더 풍부하고 다양하게 만들어준다. 지금까지 우리는 주로 텍스트 기반의 검색이나 명령을 사용해왔다. 그러나 멀티 모달 기술의 발전으로 인공 지능 분야에서도 텍스트, 음성, 이미지 등 다양한 형태의 데이터를 동시에 처리하는 방식으로 사용되고 있다. 챗gpt는 이러한 멀티 모달 기술을 다양한 방법으로 활용하고 있게 지원하고 있다.

멀티 모달의 주요 특징들을 차례로 살펴보기로 한다. 첫 번째, 이미지와 텍스트를 동시 처리 기능이다. 사용자가 제공하는 이미지와 텍스트를 동시에 분석하여, 이미지에 대한 설명이나 텍스트와 관련된 이미지 내용을 파악한다. 아래의 그림을 업로드한 후 "이 그림을 설명하라"라고 프롬프팅하면 챗gpt는 이미지를 분석하여 다음과 같이 상세하게 설명을 해준다.

[챗gpt로 그린 앙팡(테리어) 일러스트]

　"제공된 이미지는 주로 회색과 흰색 털로 된 아름답게 그려진 테리어 종 강아지를 나타냅니다. 친근한 인사나 놀고 싶은 것처럼 앞발 중 하나를 들고 있는 것 같습니다. 강아지는 얼굴에 사랑스러운 표정을 짓고 있으며 밝은 눈과 호기심 많은 기질을 보이고 있습니다. 배경은 부드러운 분홍색이며, 강아지를 강조하고 부드러운 분위기를 줍니다. 이는 아이들을 위한 도서, 축하 카드, 포스터 또는 기타 장식용도로 설계된 예술 작품일 수 있습니다. 예술 스타일은 세부적이며 강아지의 장난기 넘치고 순진한 성격을 잘 나타내고 있습니다." 간단한 그림 한 장으로도 이렇게 친절하게 설명을 해주는 것을 보면 세삼 감탄을 금할 길 없다. 이외에도 사용자가 음식 사진과 "이 음식의 재료는 무엇인가?"라는 질문을 함께 제공할 경우, 사진을 분석하여 음식의 종류를 파악하고, 텍스트를 통해 질문의 의도를 이해하여 적절한 답변을 제공해 주기도 한다.

두 번째는 감정 분석이다. 이미지에 포함된 인물의 표정을 분석하여 그 감정 상태를 파악한다. 사용자가 어떤 인물의 사진을 제공하면, 해당 인물의 표정과 관련된 감정 상태를 텍스트로 설명해준다. 이번에는 강원도 여행을 하면서 찍은 내 사진을 직접 업로드 해봤다.

[호몽의 강원도 바닷가 여행]

"이 사진은 해변에서 찍힌 것으로 보입니다. 인물은 해변의 모래 위에 서 있으며, 배경에는 바다와 부드러운 파도가 보입니다. 하늘은 약간 흐린 날씨를 보여주고 있습니다. 인물은 회색 폴로셔츠와 짙은 색 바지를 입고 있습니다. 그는 머리에 하얀색의 모자를 쓰고 있으며, 모자의 앞면에는 어떤 문구나 로고가 있어 보입니다. 그는 손목에 시계를 착용하고 있으며, 왼손으로 모자를 살짝 잡고 있습니다. 인물의 표정은 행복하고 기쁘게 보이며, 눈에는 활기가 넘치는 모습을 보여줍니다. 전반적으로 이 사진은 여유로운 휴가를 즐기는 모습을 연상시키며, 인물의 기쁜 표정과 바다의 아름다운 풍경이 조화롭게 어우러져 있습니다." 마지막 문장에서 보여 주듯이 사진 속 내 표정을 정확히 파악하고 설명해주는 것을 볼 수 있다.

세 번째 아트 작품 해석이다. 사용자가 아트 작품의 이미지를 제공하면, 챗gpt는 그 작품의 스타일, 연대, 재료 등에 대한 정보와 함께 작품에 대한 설명을 제공한다. 이번에는 고흐의 작품을 업로드 해보고 작가와 제목 그림 스타일을 설명해 달라고 프롬프팅했다.

[아를의 붉은 포도밭 : 빈센트 반 고흐]

"이 그림은 빈센트 반 고흐(Vincent van Gogh)의 ′아를의 붉은 포도밭(The Red Vineyard at Arles)′으로 추정됩니다. 제작연대는 1888년이고, 스타일은 후기 인상파입니다. 반 고흐는 후기 인상파의 대표적인 화가 중 하나로 꼽힙니다. 그의 작품은 개별적이고 감정적인 색상의 사용과 독특한 붓질로 알려져 있습니다. 그는 그림에서 물체의 형태보다는 색과 질감에 더 많은 중점을 둡니다. 이 작품은 반 고흐가 프랑스 아를에서 그린 것으로, 빨간색 포도밭이 특징적인 그림입니다. 여러 농부들이 포도밭에서 일하는 모습이 그려져 있으며, 이는 그림의 주요 테마 중 하나입니다. 그는 자신의 감정과 느낌을 색상과 붓질로 표현하려고 노력했으며, 이 작품에서도 그의 독특한 스타일이 잘 드러나 있습니다." 실로 멀티 모달의 특징을 그대로 보여주는 설명이라 할 수 있다.

네 번째는 이미지를 통한 프로그램이다. 사용자가 제공하는 플로우차트를 바탕으로 프로그램을 생성한다. 아래 그림처럼 플로우차트 그림을 제공하고 프로그램을 명령하는 원하는 언어로 코딩을 해준다.

아래 그림의 코드는 플로우차트를 보고 파이썬 언어로 코딩을 해 달라고 했을 때 제공된 결과이다. 플로우차트를 분석하고 이것이 회원가입용 프로그램이라 것도 설명해준다. 챗gpt의 멀티 모달 기능을 소개하는 자료에 따르면 위 그림처럼 정확한 도형이 아닌 사용자가 손으로 스케치한 플로우차트를 보고도 프로그램을 해준다고 한다.

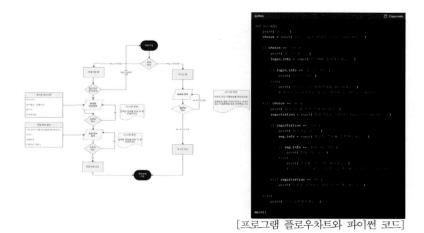

[프로그램 플로우차트와 파이썬 코드]

다섯 번째. 논리적 계산이다. 우리가 논리적 계산이 필요한 이미지를 제공하면, 챗gpt는 그 이미지와 관련된 문제 풀이를 해준다. 이번에는 수학 퍼즐 그림을 제공하고 문제 풀이를 요청해봤다

"이 수학 퍼즐을 풀어보겠습니다.

첫 번째 줄:
햄버거 + 햄버거 + 햄버거 = 30
=> 햄버거 = 10
두 번째 줄:
햄버거 + 감자튀김 + 감자튀김 = 20
=> 10 + 2(감자튀김) = 20

[챗gpt로 그린 소재로 만든 수학 퍼즐]

=> 감자튀김 = 5

세 번째 줄:

감자튀김 + 콜라 + 콜라 = 9

=> 5 + 2(콜라) = 9

=> 콜라 = 2

네 번째 줄을 사용하여 답을 찾습니다.

햄버거 + 감자튀김 + 콜라 = ?

10 + 5 + 2 = 17

따라서 답은 17입니다.

매번 이런 저런 시도를 해보지만 어떻게 이렇게 그림을 정확히 이해하고 논리적인 답을 도출해 내는지 신기할 따름이다.

이 외에도 스마트폰 앱에서는 마이크를 이용한 음성 채팅방식으로도 원하는 결과를 매우 쉽게 얻을 수 있어 운전을 할 때처럼 타이핑이 용이하지 않은 환경이거나 타이핑이 미숙한 사용자도 쉽게 챗gpt를 사용할 수 있다.

이처럼 챗gpt는 멀티 모달 기술을 활용하여 다양한 형태의 데이터를 동시에 처리하고, 사용자에게 더욱 다양하고 풍부한 정보를 제공함으로써, 인공 지능의 활용 범위가 더욱 넓어지고 있음을 직접 눈으로 확인해 볼 수 있다. 이 발전의 끝이 어디인지 무척 궁금해 하면서 하루하루 챗gpt와 친해지기 위해 노력하고 있다.

챗gpt를 이용한 이메일 작성

[사진출처=픽사베이]

대부분 직장인들이 출근을 하면 제일 먼저 체크하는 것이 이메일 일 것이다. 하지만 업무적인 이메일을 작성할 때, 특히 외국의 바이 어나 상대하기 부담스러운 거래선과 주고받는 이메일의 경우에는 이메일 작성에 부담을 느끼는 사람들이 꽤 있다. AI시대 챗gpt를 이용하여 좀 더 편리하고 효과적으로 이메일을 작성하는 지혜가 필 요하다. 오늘은 이메일 작성에 유용한 프롬프트 엔지니어링 기법에 대해서 이야기 해보려 한다.

설득력 있는 이메일을 만드는 데 도움이 되는 챗gpt와 같은 생성 AI를 이용하여 효과적인 프롬프트를 작성하고자 할 때는 명확성, 맥락 및 특수성의 조합을 고려해야한다. 다음은 이러한 프롬프트를 구성하는 방법에 대한 몇 가지 팁이다:

첫째, 프롬프트가 명확하고 이해하기 쉽도록 하라. 모호한 언어나 용어를 사용하지 마라. 예를 들어, "바이어에게 이메일을 써야겠어." 라고 말하는 대신, "A회사 바이어에게 가격 인상을 요청하는 설득력 있는 이메일을 써야겠어."라고 말하라."

둘째, 민감한 정보나 개인 정보는 누설하지 않고 가능한 한 많은 관련 내용을 제공하라. 예를 들어, "우리 회사는 2년 동안 현재의 가격을 유지했지만 그동안 원가 인상의 부담이 생겼어. 바이어에게 그간의 고충을 강조하고 가격 인상을 요청하는 설득력 있는 이메일을 써야 한다."라고 작성하는 것이 좋다.

셋째, 더 구체적일수록, AI는 당신이 필요로 하는 내용을 더 잘 생성할 수 있다. 당신은 AI에게 "감동적인 이메일을 써 달라"고 요청하는 대신, "나는 바이어에게 설득력 있는 이메일을 써야 한다. 이메일에서 지난 2년간 우리 회사가 바이어의 이익에 공헌한 바를 요약 설명하고, 잠재적인 가격 인상에 대해 논의하기 위한 협의를 요청하고 싶다."라고 작성하는 것을 추천한다.

넷째, 구체적인 구조를 염두에 두고 있다면 이를 언급하라. 예를 들어, "우리 회사 현황 소개, 우리의 기여도를 강조하는 세 가지 핵심 사항, 우리가 더 많은 책임을 지겠다는 의지를 표현하는 부분, 그리고 우리가 임금 인상을 요청하는 결론으로 구성된 설득력 있는 이메일이 필요하다."

다섯째, 이메일의 톤을 설정하라. 이는 형식을 지정해야 하는 경우 필요하다. 예를 들어, "나는 가격 인상을 요청하는 내 바이어에게 공식적이고 정중한 이메일이 필요하다." 라고 프롬프팅한다.

여섯째, 이메일 수신자가 수행할 작업을 정의한다. 이것은 회의 일정을 잡거나 제안을 고려하는 것 등일 수 있다.

다음은 위 사항들을 반영한 전체 프롬프트의 사례이다:

"나는 바이어에게 공식적이고 정중한 이메일을 써야 한다. 이메일의 목적은 잠재적인 가격 인상에 대해 논의하기 위한 회의를 요청하는 것이다. 우리 회사는 2년 동안 우리의 역할을 충실히 해왔고 이 기간 동안 많은 책임 때문에 원가 상승의 요인에도 불구하고 가격적인 부담을 떠맡아 왔다. 이메일은 정중한 인사말로 시작해서 제 역할에 대한 만족감을 표현하는 소개로 시작해야 한다. 다음 파트는 지난 2년 동안의 우리 회사의 기여와 성과를 강조하는 세 가지 핵심 포인트로 구성되어 우리가 얼마나 직무 기대치를 초과했는지 보여주어야 한다. 그런 다음 더 많은 책임을 계속 지고자 하는 우리의 의지에 대해 논의해야 한다. 이메일은 잠재적인 가격 인상에 대해 논의하기 위한 회의 요청으로 마무리되어야 한다. 바이어에 대한 우리의 가치를 강조하면서 긍정적이지만 존중하는 어조로 임해야 한다."

이렇게 한국어로 작성이 완료되면 영어나 기타 외국어가 익숙하면 해당 언어로 바로 프롬프트로 작성하면 되지만 언어에 자신이 없으면 구글이나 파파고 번역기를 이용하여 프롬프트를 작성하는 것도 효율적이다. 아래는 파파고를 이용하여 번역한 내용이다.

"I must write a formal and courteous e-mail to the buyer. The purpose of the email is to request a meeting to discuss potential price increases. Our company has been faithful to our role for two years and has taken on a price burden even if there are factors of cost increase due to many responsibilities during this period. E-mail should start with a polite greeting and an introduction that expresses satisfaction with the role. The next part should consist of three key points highlighting our company's contribution and performance over the past two years to show how much we have exceeded our job expectations. Then we must discuss our willingness to continue taking on more responsibility. The email should be concluded with a meeting request to discuss potential price increases. We should work in a positive but respectful tone while emphasizing our value to buyers."

아래는 위 프롬프트의 지시에 따라 챗gpt가 자동으로 생성한 이메일 양식이다:

Subject: Request for Meeting to Discuss Our Continued Partnership and Potential Price Adjustments

Dear [Buyer's Name],

I trust this message finds you well.

Firstly, I would like to extend our warmest greetings and appreciation for your ongoing collaboration and trust in our services. We take great pride in the strong relationship that our companies have fostered over the past two years, and are fully committed to sustaining this mutual growth.

Looking back on the last two years, I believe we surpassed not only our duties but expectations as well. There are three particular points I would like to highlight:

1. Consistent Service: Despite fluctuations in the business environment, our commitment to providing reliable and superior services has remained unwavering.

2. Added Value: Beyond our agreed upon services, we have continually strived to deliver additional value to your business, evidenced by our proactive initiatives and innovation in our shared projects.

3. Flexibility and Adaptability: In the face of many unexpected challenges, we have demonstrated our ability to swiftly adjust our operations to ensure that our quality and delivery timelines are not compromised.

Our dedication to providing top-notch service is unwavering and we are willing to shoulder additional responsibilities. However, it is also crucial that we address the significant cost increases that we have absorbed over the last couple of years. Our commitment to excellence in service comes with considerable expenses, and the current price structure may not be sustainable in the long term.

With that in mind, we would like to propose a meeting at your earliest convenience to discuss a potential adjustment in our pricing. This step, we believe, is necessary for the continued provision of the high-quality services that have benefitted both our businesses.

We value your understanding and your continued partnership. Please let us know a time and date that would be convenient for you. We promise a constructive discussion that reinforces our mutual commitment to the continued success of our partnership.

Thank you for considering our request. We look forward to your positive response.

Best regards,

[Your Name]

[Your Position]

[Your Contact Information]

위를 다시 파파고로 번역하면 아래와 같다:

제목: 지속적인 파트너십 및 잠재적인 가격 조정에 대해 논의하기 위한 회의 요청

[구매자 이름]님께,

나는 이 메시지가 당신을 잘 찾으리라 믿습니다.

먼저 저희 서비스에 대한 지속적인 협력과 신뢰에 대해 진심으로 감사의 인사를 드립니다. 우리는 지난 2년간 우리 기업들이 키워온 굳건한 관계에 큰 자부심을 가지고 있으며, 이러한 상호 성장을 지속하기 위해 최선을 다하고 있습니다.

지난 2년을 돌이켜보면 우리가 맡은 일뿐만 아니라 기대도 뛰어넘었다고 생각합니다. 특히 강조하고 싶은 세 가지 사항이 있습니다.

1. 일관된 서비스: 비즈니스 환경의 변동에도 불구하고 신뢰할 수 있고 우수한 서비스를 제공하기 위한 NAT의 노력은 변함이 없습니다.

2. 부가 가치: 합의된 서비스 외에도 NAT은 귀사의 비즈니스에 추

가적인 가치를 제공하기 위해 지속적으로 노력해 왔으며, 이는 NAT의 사전 이니셔티브와 공유 프로젝트의 혁신을 통해 입증되었습니다.

3. 유연성과 적응성: 예상치 못한 많은 문제에 직면한 상황에서 당사는 품질과 납품 일정이 손상되지 않도록 신속하게 운영을 조정할 수 있는 능력을 보여주었습니다.

최고 수준의 서비스를 제공하기 위한 우리의 헌신은 변함이 없으며, 우리는 기꺼이 추가적인 책임을 질 것입니다. 그러나 지난 몇 년 동안 흡수한 상당한 비용 증가를 해결하는 것도 중요합니다. 서비스의 우수성에 대한 우리의 헌신에는 상당한 비용이 수반되며, 현재의 가격 구조는 장기적으로 지속 가능하지 않을 수 있습니다.

그런 점을 염두에 두고, 당사의 가격 조정 가능성에 대해 논의하기 위해 귀하가 편하실 때 회의를 제안하고자 합니다. 우리는 이 단계가 양사 모두에게 이익이 되는 고품질 서비스를 지속적으로 제공하기 위해 필요하다고 생각합니다.

귀하의 이해와 지속적인 파트너십을 높이 평가합니다. 편하신 시간과 날짜를 알려주시기 바랍니다. 우리는 파트너십의 지속적인 성공을 위한 상호 약속을 강화하는 건설적인 논의를 약속합니다.

우리의 요청을 고려해 주셔서 감사합니다. 우리는 당신의 긍정적인 답변을 기대합니다.

안부 전합니다,

[이름]

[자신의 입장]

[연락처 정보]

챗gpt가 생성한 것과 이를 번역한 이메일은 일부러 수정하지 않고 원문 그대로 옮겼다. 현재 챗gpt가 응답하는 수준을 제대로 보여주기 위해서이다. 실제로 이메일을 바이어에게 보내기 위해서는 우리회사나 나의 상황에 맞게 수정하는 것이 필수적일 것이다. 하지만 이 같은 이메일을 작성하기 위해 많은 시간을 들여서 고생하는 것보다 이렇게 챗gpt에게 일차적인 도움을 받고 나서 내용을 수정하는 게 훨씬 수월하다는 사실을 부정할 수 없다. 인공지능이 사람의 감수성과 설득력을 재대로 반영할 수 있는 수준에 도달하기까지 얼마의 시간이 남았을지 나도 무척 궁금하다.

제안서 작성을 잘하기 위한 챗gpt

[사진출처=픽사베이]

이전 글에서 챗gpt를 이용하여 업무 이메일을 작성하는 프롬프트 엔지니어링 기법에 대해서 이야기하였다. 이번 글에서는 이메일과 더불어 비즈니스 분야에서 가장 빈번한 업무 중 하나는 제안서 작성에 대해 이야기 해보려한다. 이번 글의 핵심은 초안 작성 후 작성자가 반드시 현재 상황에 맞게 정확한 수정을 해주어야 하겠지만 이를 최소화하고 시간을 단축할 수 있는 제안서 작성을 가능하게 프롬프팅 해보자는 것이다.

아래에서는 10년 정도 연혁을 가진 가방 제조회사가 제품을 쇼핑몰에 런칭하기 위해 MD에게 전달할 제안서를 작성한다는 가정을 세우고 이야기를 풀어나가 보고자 한다. 순서대로 열거되는 프롬프팅의 사례는 내가 그동안 효율적인 프롬프팅을 위해 고민한 부분을 반영하여 작성된 것이라는 것을 먼저 알린다.

프롬프팅 1 : 10년 이상 가죽가방을 제조하는 우리 회사의 소개와 제품A의 특장점을 쇼핑몰 MD에게 제안하는 목차를 만들어줘.

목차

1. 회사소개

1.1. 회사 개요
1.2. 우리의 비전과 사명
1.3. 성공적인 파트너십 및 사례 연구
1.4. 만족한 고객의 후기

2. 제품 A의 특징

2.1. 제품 A에 대한 종합적인 설명

2.2. 제품 A의 주요 특징

2.3. 제품 A가 경쟁 제품과 차별화되는 방법

2.4. 제품 A의 사용 사례 시나리오

2.5. 제품 A의 지속 가능성 및 환경 영향

3. 쇼핑몰 MD에 대한 제안

3.1. 제품 A가 쇼핑몰에 적합한 이유

3.2. 제품 A가 쇼핑몰의 현재 상품 군을 보완하는 방법

3.3. 쇼핑몰 MD의 잠재적 이점

3.4. 교차 프로모션 및 공동 마케팅 기회

3.5. 수익 및 판매 예상

4. 시행계획

4.1. 제품 A 통합을 위한 제안 일정

4.2. 직원 교육 및 지원 계획

4.3. 유지 보수 및 지원 약속

5. 다음 단계

5.1. 제안 수락 절차
5.2. 커뮤니케이션 및 후속 조치 세부 사항
5.3. 법적 및 계약 세부 정보

6. 부록

6.1. 제품 A의 상세 기술 사양
6.2. 제품 A 인증 및 규정 준수 문서
6.3. 미디어 키트: 제품 A 이미지, 로고 및 마케팅 자료

프롬프팅 2 : 위 목차에서 '회사 소개' 부분을 설득력 있고 상세
하게 작성하라.

1. 소개

1.1. 회사 개요

저희는 10년 이상 고품질 가죽 가방 제조에 전념해 온 저명한
회사입니다. 2013년에 설립된 저희 회사는 꾸준히 성장하여 가죽
제품 업계에서 인정받는 리더로 자리 잡았습니다. 전통적인 장인
정신과 현대적인 디자인의 조화를 통해 우리는 소비자에게 시대를

초월하고 내구성이 있으며 스타일리시한 제품을 제공함으로써 시장에서 독특한 틈새시장을 성공적으로 채웠습니다. 우리는 높은 수준의 생산을 유지하고 최고급 재료를 사용하는 데 중점을 두고 장인의 뿌리에 전념하고 있습니다. 우리의 숙련된 장인 팀은 우리가 만드는 각 제품에 상당한 주의와 정확성을 두어 미학적으로 만족스러울 뿐만 아니라 오래 지속되는 제품을 보장합니다.

1.2. 우리의 비전과 사명

우리의 비전은 오래 지속되고 아름답게 디자인되고 경쟁력 있는 가격으로 제작된 가죽 가방을 제공함으로써 품질, 우아함 및 스타일로 사람들의 삶을 풍요롭게 하는 것입니다. 한편, 우리의 사명은 가죽 공예의 장인 전통을 유지하여 급변하는 오늘날의 현대 세계에서 그 연속성을 보장하는 것입니다. 또한 책임감 있게 재료를 조달하고 윤리적인 생산 프로세스를 보장함으로써 환경과 사회에 대한 책임과 존중의 문화를 고취하고자 합니다.

1.3. 성공적인 파트너십 및 사례 연구

수년에 걸쳐 우리 회사는 수많은 유명 브랜드 및 소매점과 성공적인 파트너십을 맺었습니다. 이러한 전략적 제휴는 우리의 범위를 전 세계적으로 확장하는 데 도움이 되었을 뿐만 아니라 상호 성장과 성공에 크게 기여했습니다. 이 섹션에서는 우리가 파트너에게 가치를 더한 방법과 이러한 협력이 우리의 성장을 주도한 방법에 대해 자세히 설명하면서 몇 가지 탁월한 파트너십을 공유할 것입니다.

1.4. 만족한 고객의 후기

업계에서 우리의 성공과 평판에 대한 증거는 우리가 만족한 고객으로부터 지속적으로 받는 긍정적인 피드백입니다. 우리는 품질과 우수한 서비스에 대한 우리의 약속을 확인하므로 고객 만족에 자부심을 느낍니다. 여기에서 내구성, 스타일 및 탁월한 장인 정신으로 제품을 선택한 고객의 찬사를 공유합니다.

프롬프팅 3 : 위 목차에서 '제품 A의 특징' 부분을 설득력 있고 상세하게 작성하라.

2. 제품 A의 특징

2.1. 제품 A에 대한 종합적인 설명

당사의 시그니처 가죽 가방인 제품 A는 품질, 내구성 및 스타일에 대한 회사의 약속을 보여주는 증거입니다. 책임감 있게 소싱된 최고급 가죽으로 전문적으로 제작된 제품 A는 기능성과 우아함을 완벽하게 결합합니다. 유니섹스 백으로 디자인되어 비즈니스 미팅

부터 캐주얼한 외출까지 다양한 상황에 적합합니다.

2.2. 제품 A의 주요 특징

제품 A의 주요 기능은 다음과 같습니다.

1) 품질 소재: 당사의 가방은 내구성과 시간이 지날수록 더 좋아지는 고유한 특성으로 잘 알려진 고품질의 풀그레인 가죽으로 제작됩니다.

2) 장인 정신: 각 가방은 숙련된 장인이 제작하여 디테일에 대한 탁월한 관심과 우수한 마감을 보장합니다.

3) 디자인: 제품 A의 디자인은 미니멀 하면서도 기능적이며 노트북, 노트북, 지갑, 휴대폰과 같은 필수품을 위한 다양한 수납공간을 포함하여 충분한 수납공간을 제공합니다.

4) 내구성: 제품 A는 견고한 스티칭, 고품질 금속 지퍼 및 내구성이 뛰어난 안감 소재를 사용하여 오래 사용할 수 있도록 제작되었습니다.

5) 편안함: 제품 A는 조절 가능하고 패딩 처리된 어깨 끈이 있어 매일 사용하기에 최고의 편안함을 제공합니다.

2.3. 제품 A가 경쟁 제품과 차별화되는 방법

제품 A는 우수한 품질, 독특한 디자인, 뛰어난 내구성으로 경쟁사와 차별화됩니다. 대량 생산 옵션과 달리 가방은 수작업으로 제작되어 각 제품에 개인적인 손길과 고유한 특성이 있습니다. 프리미엄 풀 그레인 가죽을 사용하여 합성 및 저품질 소재가 따라올 수 없는 풍부한 모양과 느낌을 제공하므로 차별화됩니다.

2.4. 제품 A의 사용 사례 시나리오

제품 A는 업무용 또는 여행용으로 스타일리시하고 내구성이 뛰어나며 다재다능한 가방을 찾는 전문가에게 적합합니다. 그 크기는 다른 일상 필수품과 함께 최대 17인치의 노트북까지 수납하기에 이상적입니다. 그러나 그 사용은 전문적인 시나리오에만 국한되지 않습니다. 일반 사용자도 제품 A의 스타일과 기능을 즐길 수 있어 어떤 경우에도 훌륭한 액세서리가 됩니다.

2.5. 제품 A의 지속 가능성 및 환경 영향

우리는 환경에 미치는 영향을 최소화하기 위해 최선을 다하고 있습니다. 따라서 제품 A는 책임감 있게 공급된 가죽으로 만들어지며 당사의 생산 공정은 폐기물과 에너지 소비를 줄이도록 설계되었습니다. 우리는 또한 제품 A에 환경 친화적인 포장재를 사용합니다. 이 섹션에서는 우리의 지속 가능성 관행과 제품 A가 이러한 가치를 어떻게 반영하는지 자세히 알아볼 것입니다.

프롬프팅 4 : 위 목차에서 '쇼핑몰 MD에 대한 제안' 부분을 설득력 있게 작성하라.

3. 쇼핑몰MD에 제안

3.1. 제품 A가 쇼핑몰에 적합한 이유

우리는 제품 A가 쇼핑몰의 소매 제품에 훌륭한 추가 기능이 될 것이라고 믿습니다. 귀하의 시설은 고품질 제품과 브랜드를 선별적으로 선별하는 것으로 유명하며, 당사의 수제 가죽 가방은 이러한 명성에 완벽하게 부합합니다. 유행을 타지 않는 디자인과 현대적인 기능이 조화를 이룬 당사의 가죽 가방은 제품의 품질, 스타일 및 내구성을 추구하는 안목 있는 고객층에게 어필할 것입니다.

3.2. 제품 A가 쇼핑몰의 현재 상품 군을 보완하는 방법

귀하의 현재 제품 범위에 수제 고급 가죽 가방 브랜드가 없다는 것을 확인했습니다. 소매 라인에 제품 A를 추가하면 포트폴리오를 다양화하고 이러한 격차를 해소하여 장인 정신과 프리미엄 품질을

중시하는 새로운 고객 세그먼트를 잠재적으로 유치할 수 있습니다.

3.3. 쇼핑몰 MD의 잠재적 이점

존경하는 쇼핑몰에 당사 제품을 소개하면 상당한 이점을 얻을 수 있습니다.

1) 고객 유치: 당사의 확립된 브랜드 평판은 특히 당사 제품을 찾는 새로운 고객을 귀하의 쇼핑몰로 끌어들일 수 있습니다.

2) 매출 성장: 프리미엄 제품군의 추가로 전체 매출이 증가하여 매출 성장에 기여할 것으로 예상됩니다.

3) 브랜드 향상: 장인 정신, 품질 및 지속 가능성을 중시하는 브랜드와 연결하면 쇼핑몰의 전반적인 브랜드 이미지를 향상시킬 수 있습니다.

3.4. 교차 프로모션 및 공동 마케팅 기회

우리는 교차 프로모션 및 공동 마케팅 이니셔티브의 상당한 잠재력을 보고 있습니다. 파트너십을 강조하는 특별 이벤트, 프로모션 및 광고 캠페인에 대해 협력할 수 있습니다. 우리는 이러한 기회에 대해 더 자세히 논의하고 귀사의 전략과 목표에 맞는 마케팅 접근 방식을 맞춤화할 수 있도록 열려 있습니다.

3.5. 수익 및 판매 예상

우리는 강력한 판매 실적을 입증했으며 A 제품을 쇼핑몰에 도입하면 상당한 수익이 발생할 것으로 기대합니다. 쇼핑몰의 유동인구 및 고객 인구통계를 고려하여 유사한 소매 파트너십에 대한 경험을 바탕으로 상세한 판매 예측을 제공합니다.

프롬프팅 5 : 위 목차에서 '실행계획' 부분을 설득력 있게 작성하라.

4. 실행 계획

4.1. 제품 A 통합을 위한 제안 일정

귀하의 쇼핑몰에 제품 A를 성공적으로 도입하기 위해 다음 일정을 제안합니다.

1주차: 파트너십 계약 및 공식화.

2-3주차: 초기 재고 배송 및 소매 공간 설정.

4주차: 제품 및 브랜드 가치에 대한 직원 교육 세션.

5주차: 조용한 판매 테스트와 함께 소프트 런칭.

6주차: 마케팅 및 판촉 활동이 시작되는 공식 출시.

이것은 잠정적인 일정이며 귀하의 요구 사항과 피드백에 따라 조정할 수 있다는 점에 유의하십시오.

4.2. 직원 교육 및 지원 계획

브랜드, 사명, 제품 A의 고유한 기능을 이해하는 것은 판매 성공에 매우 중요합니다. 다음을 포함하여 귀사의 영업 팀을 위한 포괄적인 교육을 제공합니다.

1) 제품 지식: 제품 A의 재료, 장인 정신 및 이점에 대한 깊은 이해.

2) 브랜드 가치: 회사의 역사, 사명 및 정신에 대한 브리핑.

3) 영업기법: 상품의 특징을 고객에게 효과적으로 전달하고 질의를 처리하는 방법을 안내합니다.

또한 귀하의 팀이 교육 후 필요할 수 있는 질문이나 지원에 대해 열린 커뮤니케이션 라인을 유지할 것입니다.

4.3. 유지 보수 및 지원 약속

우리의 파트너십은 제품 판매로 끝나지 않습니다. 우리는 원활한 운영과 만족스러운 고객 경험을 보장하는 장기적인 관계를 약속합니다. 여기에는 다음이 포함됩니다.

1) 재고 관리: 제품 A를 고객이 항상 사용할 수 있도록 정기적인 재고 업데이트.

2) 품질 검사: 당사 제품의 프리미엄 표준을 유지하기 위한 주기적인 품질 검사입니다.

3) 고객 서비스: 제품 관련 질문이나 문제에 대한 고객 서비스에 액세스할 수 있습니다. 또한 수리 및 유지 보수와 같은 애프터서비스를 제공하여 고객 만족과 충성도를 보장합니다.

우리는 귀하와 협력하여 귀하의 존경하는 쇼핑몰에서 제품 A의 성공적인 출시 및 지속적인 판매를 보장하기를 기대합니다.

프롬프팅 6 : 위 목차에서 '다음 단계' 부분을 설득력 있고 상세하게 작성하라.

5. 다음 단계

5.1. 제안 수락 절차

저희 제안을 검토할 기회가 있으셨다면 피드백을 제공해 주시면 감사하겠습니다. 제안된 파트너십에 동의하는 경우 양 당사자의 이익을 보호하기 위해 파트너십의 약관을 설명하는 공식 계약서 초안 작성을 진행합니다. 이 계약에서 귀하가 가질 수 있는 특정 요구 사항을 수용하게 되어 기쁩니다.

5.2. 커뮤니케이션 및 후속 조치 세부 사항

제안에 대한 검토를 게시하고 제안에 대해 자세히 논의하고 질문에 답하고 진행 방법을 결정하기 위해 회의를 설정하는 것이 좋습니다(귀하의 편의에 따라 직접 또는 가상으로). 이 회의에 적합한 날짜와 시간을 알려주십시오. 우리 팀은 귀하의 편의에 따라 사용할 수 있습니다.

5.3. 법적 및 계약 세부 정보

계약서의 세부 사항이 확정되고 양 당사자가 동의하면 법적 절차를 진행합니다. 여기에는 계약 서명, 필요한 규정 준수 확인, 필요한 경우 관련 당국과의 파트너십 공식 등록이 포함됩니다. 이 과정에서 완전한 투명성과 협력을 보장합니다.

우리는 이 파트너십의 전망에 대해 기쁘게 생각하며 다음 단계를 수행하기를 기대합니다. 귀하의 지원과 협력은 이 벤처의 성공을 보장하는 데 필수적이며 귀하와 함께 이 여정을 시작하고자 합니다.

프롬프팅 7 : 위 목차에서 '부록' 부분을 설득력 있고 상세하게 작성하라.

6. 부록

6.1. 제품 A의 상세 기술 사양

이 섹션에서는 사용된 재료, 치수, 무게 및 디자인 기능을 포함하여 제품 A의 기술 사양에 대한 포괄적인 분석을 제공합니다. 제품에 대한 명확한 이해를 돕기 위해 자세한 그림과 다이어그램이 포함될 수도 있습니다.

6.2. 제품 A 인증 및 규정 준수 문서

제품 A의 품질과 윤리적 제조에 대한 약속을 안심시키기 위해 모든 관련 인증 및 규정 준수 문서를 포함시켰습니다. 여기에는 품질 관리, 환경 관리 및 사회적 책임과 같은 영역이 포함됩니다. 그들은 우리의 제품과 관행이 업계 표준과 법적 요구 사항을 충족하거나 능가한다는 것을 나타냅니다.

6.3. 미디어 키트(제품 A 이미지, 로고 및 마케팅 자료)

우리는 시각적으로 매력적이고 일관된 마케팅의 중요성을 이해합니다. 따라서 제품 A의 고해상도 이미지, 다양한 형식의 회사 로고, 배너, 포스터 및 디지털 자산과 같은 다양한 마케팅 자료가 포함된 종합 미디어 키트를 제공합니다. 이는 매장 내 디스플레이, 온라인 프로모션 및 제품 A와 관련된 기타 마케팅 이니셔티브에 사용할 수 있습니다.

이러한 보충 리소스는 제품 A와 당사에 대한 전체적인 이해를 제공하고 의사 결정 프로세스를 지원하기 위한 것입니다. 이러한 자료에 대한 추가 정보나 설명이 필요하시면 언제든지 저희에게 연락해 주십시오.

위에 열거한 것처럼 챗gpt에서 단계적으로 프롬프팅 후 얻어온 결과들을 가져왔다. 마지막으로 작성자는 위 초안을 기반으로 제안서를 작성 시 실제로 내 회사의 상황과 제품의 특성에 맞추어 추가로 보강해서 수정해야할 사항을 파악하는 것이 필수적이다. 왜냐하면 챗gpt가 알려주는 콘텐츠는 일반적이고 포괄적이라서 특정 회사의 상황 및 제품 특성에 따라 제안을 조정해야 하기 때문이다. 아래에 작성자가 보완하거나 수정해야 할 필수적인 항목을 정리하니 차후에 챗gpt를 이용하여 여러 가지 제안서를 작성할 때 꼭 참조하길 바란다.

첫 번째, 회사 연혁, 미션, 비전 및 제품 기능에 대한 모든 세부 정보가 정확한지 확인한다. 시간이 지남에 따라 변경되었을 수 있는 모든 정보를 업데이트한다.

두 번째, 제안을 뒷받침하는 관련 사례 연구 및 추천사를 수집하라. 이는 성공적인 파트너십과 고객 만족의 실제 사례여야 한다. 회사의 잠재력을 최신 상태로 정확하게 반영하는지 확인하라.

세 번째, 제품이 경쟁사와 어떻게 차별화되는지에 대한 섹션은 철저한 경쟁사 분석을 기반으로 해야 한다. 판매 제안과 제품의 우수한 가치를 제공하는 방법에 대해 구체적으로 설명하라.

네 번째, 쇼핑몰 MD에게 제안한 혜택을 확인하라. 예를 들어 수익 및 판매 예측은 신뢰할 수 있는 데이터 및 건전한 분석을 기반으로 해야 한다. 또한 교차 프로모션 및 공동 마케팅 기회가 현실적이고 상호 이익이 되도록 해야 한다.

다섯 번째, 제안된 일정 및 직원 교육 계획은 실제 운영 능력과 일치해야 한다. 만날 수 없는 일정을 약속하지 마라.

여섯 번째, 모든 관련 법률 및 규정을 준수하는지 확인하기 위해 법률 전문가가 검토해야 한다.

일곱 번째, 모든 제품 정보, 인증 및 규정 준수 문서가 최신판이고 정확한지 확인하라.

여덟 번째, 이미지 및 마케팅 자료가 현재 브랜딩을 반영하고 전문적인 디자인 표준을 충족하는지 확인하라.

성공적인 제안의 핵심은 신뢰성과 상호 이익에 대한 명확한 입증임을 기억하라. 내 회사의 강점과 제품의 고유한 장점에 맞게 제안서를 조정하고 내가 주장하는 모든 것이 입증될 수 있도록 하는 게 중요하다. 경쟁력 있고 설득력 있는 제안서는 미사여구의 나열이 아닌 정확한 정보가 들어가야 한다는 것을 명심하자.

칼럼 기사 내용에 추가하여 이 책의 편집 시점에 AI 파워포인트 작성 툴 중 가장 인기있는 '감마'(https://gamma.app)를 소개한다. 아래 그림은 칼럼 내용 중 '회사소개' 부분만 샘플로 제작한 제안서 자료이다.

[gamma에서 작성한 제안서 샘플]

　다음 글에서 소개할 MS의 'M365 Copilot'에서 파워포인트 파일의 생성이 다소 불만족스러워 소비자들에게 인기를 얻지 못하는 시점에서 업무상 자주 제안서를 작성하는 마케터나, 강사, 학생들에게는 이 '감마' 툴이 가뭄에 단비 같은 존재라 할 수 있겠다.

생산성을 300% 높여주는 M365 Copilot

M365 코파일럿 [사진출처=MS]

2023년 10월에 미국의 대기업부터 마이크로 소프트 365에 생성 AI 코파일럿이 적용되기 시작했었습니다. 2024년 초부터 역시 미국 서부터 중소기업과 개인들도 사용할 수 있게 되었고 이어서 한국에서도 한글 버전이 서비스를 시작하였다.

이번 글은 MS에서 온라인 세미나를 통해서 발표된 자료를 참조하여 그동안 코파일럿을 사용해본 경험담을 위주로 업무 생산성을 300% 이상 높이는 이야기를 적어보기로 했다.

먼저 M365 코파일럿은 마이크로소프트 365의 일부로, 사용자가 문서 작성, 이메일 관리, 회의 준비 등을 보다 효율적으로 수행할 수 있도록 인공지능 기반의 지원을 제공한다. 이 글에서는 M365 코파일럿이 어떻게 일과 생활의 질을 향상시키는지 구체적인 사례와 함께 설명할 예정이다.

M365 코파일럿은 사용자의 작업 흐름을 간소화하고, 생산성을 극대화하기 위해 설계된 서비스이다. 이는 클라우드 기반의 인공지능 기술을 활용하여 문서 작성, 이메일 정리, 데이터 분석 등 다양한 업무를 자동화하고 최적화해준다. 특히 기존 인터넷 검색은 물론이고 사용자와 소속회사의 데이터에 접근하여 대규모 언어모델(LLM)으로 검색 및 분석하여 가장 효율적인 문서작성을 도와주는 특성이 있다.

그리고 클라우드 기반의 이슈 추적 및 프로젝트 관리 소프트웨어를 제공하는 'Jira Cloud'같은 다양한 외부 서비스와도 계약이 된다면 언제든지 고급정보를 가져와 업무에 활용할 수가 있다. 보안 측면에서도 MS는 사용자와 소속회사의 기밀 사항이 외부로 유출되지 않도록 포괄적인 방식으로 설계가 되어 있다고 했다.

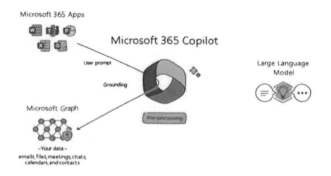

코파일럿 업무 흐름도, 출처=MS

먼저 M365 코파일럿은 사용자가 Outlook에서 M365 코파일럿의 도움을 받으면 이메일 관리와 일정 조정이 한층 간편해진다. 예를 들어, 중요한 메일을 우선적으로 정리하고, 회의 일정을 자동으로 조정하여 사용자가 중요한 업무에 더 집중할 수 있도록 한다.

MS가 보여준 사례에서는 이메일 작성에서 단 한 줄의 프롬프트 만으로 장문의 이메일 완성되는 것을 보여 주었다. 그리고 장시간 의 메일을 검색하여 쉽게 필요한 사항을 찾도록 해주었다.

M365의 팀즈(Teams)의 채팅과 미팅 기능에서 코파일럿의 생산 성이 가장 잘 부각되었다. 먼저 과거 일정 기간 동안의 채팅 내용 요약과 주고받은 파일을 목록을 분석하여 깔끔하게 정리해 보여주 었다. 또한 미팅 내용을 요약해주고 그것을 토대로 품의서의 기초

안을 만들어 주기도 했다.

사례에서는 팀즈에서 만든 초안을 공유 받아 Word에서 단 한 줄의 프롬프트로 완벽한 출장 품의서로 작성하는 자료를 보여 주었다. 일반적으로 품의서 작성에는 기존 양식을 사용한다고 해도 내용을 채우기 위해서는 장시간의 작업이 필수적이었는데 코파일럿을 이용하면 단 몇 십초 안에 매우 완성도 높은 품의서가 완성된다.

그리고 이 품의서를 기반으로 PowerPoint로 기존 테스트 자료를 공유 받아 멋진 발표 자료도 깔끔하게 만들어 보여줬다. 하지만 슬라이드 생성에서는 다른 작업처럼 신속한 작업은 이루어지지 않았고 몇 분을 기다려야 했다. 그래도 한 장씩 슬라이드를 만들었던 기존 작업과는 비교할 수 없을 정도도 빠르게 작성이 되었다. MS 담당자의 말로는 슬라이드 안에서 사용되는 이미지는 저작권문제에 있어서도 라이선스가 확보된 그림들이라 자유롭게 사용할 수 있다고 했다.

마지막으로 Excel 작업도 보여주었는데 마케팅 업무 관련 기초 데이터를 불러와 자료정렬, 날짜형식과 같은 서식변경 그리고 사용자 참여율과 그래프 생성 등 기존 작업에서는 하나씩 메뉴를 옮겨가며 하던 작업을 코파일럿은 프롬프트 창에 짧은 지시만 내려서 수행하는 것을 보니 정말 감탄 그 자체였다. 더구나 나도 엑셀을 쓰다보면 수식을 몰라서 자주 블로그나 구글로 검색해서 사용했는

데 코파일럿에서는 인공지능이 간단히 수식을 찾아주고 처리까지 해주니 엑셀의 숨어 있는 기능까지 모두 사용할 수 있겠다는 생각이 들었다. 이제 상상만 하면 모든 게 이루어지는 세상이 되었다고 할 수 있다.

MS의 조사에 의하면 회사원들 60% 이상이 프로젝트 관리, 문서와 보고서 작성에 업무 시간의 대부분을 고군분투하고 있다고 한다. M365 코파일럿 도입 후, 문서 작성 시간이 대폭 줄어들었고, 직원들은 보다 창의적인 업무에 더 많은 시간을 할애할 수 있게 되었다. 또한, 데이터 분석 작업이 간소화되면서, 의사 결정 과정도 더 빨라지고 정확해졌다.

M365 코파일럿은 단순한 생산성 도구를 넘어, 업무 방식을 근본적으로 변화시키는 혁신적인 기술이다. 이를 통해 사용자는 반복적이고 기계적인 작업에서 벗어나 창의적이고 전략적인 업무에 더 많은 시간을 투자할 수 있게 된다. 또한, M365 코파일럿의 지능형 기능은 업무의 효율성을 높이는 동시에, 작업의 질도 개선시키는 이중의 이점을 제공한다.

M365 코파일럿의 진정한 가치는 단순히 시간을 절약하는 것을 넘어, 사용자와의 상호작용을 통해 더욱 개선된 결과물을 도출할 수 있다는 데 있다. 인공지능이 사용자의 의도와 요구사항을 더 잘 이해할수록, 생성되는 문서나 분석 결과는 더욱 정교하고 맞춤화된

다. 이러한 과정에서 사용자는 인공지능과의 협업을 통해 자신의 업무 방식을 재고하고, 더 나은 결과를 위한 새로운 방법을 모색할 기회를 갖게 된다.

조직에서 M365 코파일럿을 도입하기 전에는 몇 가지 중요한 고려 사항이 있다. 첫째, 사용자 교육이 중요하다. 인공지능 도구를 효과적으로 활용하기 위해서는 사용자가 해당 도구의 기능과 가능성을 충분히 이해해야 한다. 둘째, 데이터 보안과 개인 정보 보호에 대한 명확한 정책이 필요하다. M365 코파일럿과 같은 클라우드 기반 서비스를 사용할 때는 조직의 데이터 보호 기준을 충족시키는지 확인해야한다. 직급에 따른 보안등급과 자료접근 제한사항에도 명확한 기준이 마련되어야한다.

M365 코파일럿은 미래 지향적인 업무 환경을 위한 변화의 한 축을 담당하고 있다. 이 기술은 사용자가 더욱 집중하고 창의적인 업무에 몰두할 수 있는 환경을 조성함으로써, 업무의 질과 만족도를 동시에 향상시킨다. 인공지능 기술의 발전과 함께, M365 코파일럿도 계속해서 업무 방식의 혁신을 리드할 것으로 기대된다.

결론적으로, M365 코파일럿은 생성형 AI가 사용자에게 실질적인 가치를 제공하는 대표적인 예이다. 이를 통해 우리는 극대화된 생산성과 더 나은 업무 환경을 실현할 수 있으며, 이는 결국 개인의 삶의 질 향상으로 이어진다. M365 코파일럿과 같은 혁신적인 도구

들은 인간과 기술의 조화로운 협업을 가능하게 하며, 미래 업무의
모습으로 안내하고 있다.

이제는 멀티모달로 프롬프팅하자

[멀티모달을 이용한 프롬프팅, DALL-E3에서 그림]

챗gpt가 세상에 등장한지 1년 반이 조금 넘어서는 현재 챗gpt뿐만 아니라 구글의 Gemini 마이크로소프트의 Copilot, 네이버의 클로바X, 뤼튼 등 다양한 생성형 AI 플랫폼들이 전 세계인 사용자들을 위해서 매우 바쁘게 돌아가고 있다. 이전 글에서 이메일과 제안서 작성 시 올바른 프롬프팅에 대해서도 다룬 적이 있다. 그 글들을 지금 읽어봐도 큰 맥락에서는 지금도 유용한 방법이기에 오류가 있다고 할 수는 없다.

다만 급박하게 변하는 생성형 AI 시장에서 수개월 전에 비해 많은 기능들이 새로운 기능들이 많이 들어 왔는데 이들 대부분은 "멀티모달"이라는 단어로 통합될 수 있다. 대표적인 기능들을 몇 가지 나열해보면 이미지 첨부 기능, PDF, 엑셀, 파워포인트 같은 문서 첨부 기능과 마이크를 사용하여 챗봇과 대화하는 기능 등이 있다. 이렇게 멀티모달 기능이 강화된 시점에서 프롬프팅도 이전과는 다르게 새로운 조명이 필요가 있다는 판단에 이번 글을 준비했다. 특히 이번에는 멀티모달 측면에 집중하여 글을 전개해 볼 예정이다.

먼저 이미지 생성을 할 챗gpt의 프롬프팅에 대해 알아보자. 이미지를 생성하려면, 챗gpt의 그림그리기 툴인 DALL-E3에게 매우 구체적이고 명확한 설명을 제공해야 한다. 보통 이미지의 세부 사항, 색상, 배경, 주제 등을 포함시키는 게 좋다. 인물을 그릴 때는 다양한 인물의 특성(인종, 국적, 성별 등)을 고려하여 설명을 작성해야 한다. 특정한 예술적 스타일이나 장르, 예를 들어 인상주의, 극사실주의, 추상화, 마블 스타일 등을 지정하여 이미지의 전반적인 느낌을 가이드할 수도 있다.

이미지 생성에서 내가 직접 촬영하거나 그리기 원하는 그림과 유사한 이미지가 있다면 이것을 첨부하여 그리기를 요청할 수 있다. "첨부 이미지를 참조하여 ~~"라고 프롬프팅을 하면 된다. 그러면 챗gpt는 첨부 이미지의 특성을 파악하여 가장 유사하게 그림을 그려준다, 단 주의할 점은 인물 사진을 첨부할 경우 초상권문제로 거부당할 수 있다. 이를 피해가기 위해서는 실사가 아닌 마블, 웹툰, 혹은 여러 가지 미술 기법으로 그려 달라고 하면 거부하지 않고 그려준다.

그리고 필요에 따라 1024x1024, 1792x1024 같은 이미지 해상도나 16:9, 1:1, 9:16 같은 이미지화면 비율을 선택 할 수 있으며 이미 생성된 이미지에 대한 피드백을 기반으로 수정 요청을 할 수 있다. 하지만 저작권이 있는 캐릭터나 실제 인물의 모습을 그대로 사용하는 것은 피해야 하고, 폭력적이거나 불쾌한 내용, 정치적 민감성이 있는 주제는 피해야 한다.

2023년 초부터 챗gpt에서는 특정 유형의 첨부 파일을 처리하는 기능이 있어 지원 가능한 작업 범위와 상호 작용이 향상되었다. 첨부할 수 있는 파일 유형으로는 텍스트 파일(예:.txt, .docx), 이미지(예: .jpg, .png), PDF, 스프레드시트(예: .xls, .csv), 코드 파일(다양한 프로그래밍 언어) 등이 있다.

파일 첨부를 통해 프롬프팅을 할 때의 장점은 긴 문서나 데이터 세트와 같이 수동으로 입력하기에는 너무 길거나 복잡한 콘텐츠에 대한 보다 심층적인 분석이 가능하다. 특히 대용량 데이터나 텍스트를 처리할 때 파일을 첨부하면 시간과 노력을 절약할 수 있다.

파일을 직접 업로드하면 복잡한 데이터나 텍스트를 수동으로 입력하거나 복사하여 붙여 넣을 때 발생할 수 있는 오류를 줄일 수도 있다.

파일을 제공하면 챗gpt에 더 많은 맥락이 제공되어 특히 데이터 분석이나 문서 검토와 같은 작업에서 더욱 정확하고 관련성이 높은 응답이 가능해진다. 이미지 파일을 사용하면 텍스트만으로는 불가능한 이미지 설명, 개체 식별, 예술적 분석 제공 등의 시각적 작업이 가능해지기도 한다. 코드 분석 및 디버깅을 할 때 모델이 실제 코드 구조를 처리하고 이해할 수 있으므로 코드 파일을 업로드하면 보다 효과적인 디버깅, 코드 검토 및 프로그래밍에 대한 평가를 얻을 수 있다.

챗gpt는 스프레드시트와 데이터 파일을 통해 데이터 작업을 지원하고 계산을 수행하며 통찰력 또는 시각화를 생성할 수 있다. 문서 접근성 측면에서 PDF 및 기타 문서 형식의 경우 이 기능은 텍스트 추출, 콘텐츠 요약 또는 콘텐츠를 보다 접근하기 쉬운 형식으로 변환하여 접근성을 제공하는 데 특히 유용할 수 있다.

제한사항 및 고려사항으로는 개인 정보 보호 및 데이터 보안은 중요한 고려 사항이므로 민감한 개인 정보를 업로드할 때 주의해야 하고 AI 플랫폼 성능에 따라 업로드할 수 있는 파일의 크기 및 형식에 제한이 있을 수 있다. 챗gpt의 경우 2023년 12월 현재 파일을 10개까지 한꺼번에 올릴 수 있다. 하지만 지금은 제한이 없어지기는 했지만 파일 업로드 결과를 내놓기까지 시간 지연이나 결과 도출 실패를 자주 접하게 되는 것은 흔한 일이니 참조할 필요가 있다.

이번에는 휴대폰에서 마이크를 사용하여 음성으로 챗봇과 소통할 수 있는 편의성에 대해 이야기 해보자. 이것은 특히 자동차를 직접 운전하며 이동하면서 버튼 하나로 조작이 이루어지므로 매우 편리해서 나도 자주 이용하는 기능이다. 단순한 정보제공 뿐만 아니라 조수석에 앉아 함께 가는 동반자처럼 친절하게 대화를 해주므로 운전의 즐거움이 배가되기도 한다. 특히 원하는 외국어로 대화도 가능하기에 외국어를 공부하는 사용자들에게는 회화공부에도 많은 도움이 된다.

마이크 아이콘은 챗gpt 입력창 오른쪽에 위치한다. 이 아이콘을 누르면 Connecting(연결 중) -> Listening(청취 중) 의 차례로 넘어간다. 청취 중 상태에서 말을 하면 된다. 이 기능을 사용하기 전에 챗gpt의 설정창의 Speech 메뉴에서 Voice(목소리)를 여러 명의 남성과 여성 목소리 중 선택을 하고 Main Language (주 언어)를 선택할 수 있다. 언어 선택을 한국어로 할 수 있지만 내 경험으로는 'Auto-Detect(자동감지)로 그냥 놔두고 사용할 것을 권장한다. 왜냐하면 챗봇은 디폴트로 영어로 말을 하지만 "앞으로 대화는 한국어(또는 원하는 언어)로 하고 싶어"라고 말하면 이후에는 한국어나 원하는 언어로 계속 말을 해주기 때문이다.

이 음성 챗봇을 잘 사용하려면 질문이나 명령을 분명하고 자연스럽게 말해야 한다. 빠르게 말하거나 불분명하게 발음하면 인식 오류를 경험하게 된다. 정확한 인식을 위해 반복적인 연습을 통해서 챗봇과 친해질 필요가 있다. 큰 배경 소음은 음성 인식 정확도를 떨어뜨릴 수 있으므로 정확한 음성 인식을 위해 조용한 환경에서 사용하는 것을 추천한다. 라디오나 음악 사운드는 끄고 대화하는 것이 좋다. 또한 질문이나 명령을 간결하고 명확하게 하라. 너무 긴 문장이나 복잡한 지시사항은 인식 오류의 원인이 될 수 있다.

가끔 챗봇이 너무 길게 설명해서 중간에 멈추게 하고 싶다면 왼쪽 아래 멈춤 버튼을 누르면 다시 사용자가 이야기 할 수 있는 청취 중 모드로 변경이 된다. 그리고 음성 채팅을 멈추고 키보드 입력 모드로 전환하려면 화면 아래 중앙에 'Tap to cancel' 상태일 때 X 버튼을 누르면 된다. 음성 인식이 정확하게 전달이 되지 않으면, 이를 통해 키보드를 사용하여 입력을 수정할 수 있게 해준다. 음성 챗봇과의 대화 내용은 전부 텍스트로 변환되어 실시간으로 저장되어 있다. 이 음성 채팅기능은 이동 중이거나 손이 자유롭지 않을 때 매우 유용하므로 자주 사용해 보길 권장한다.

위에서 이미지, 각종문서, 음성 등 멀티모달을 이용하여 챗gpt의 프롬프팅을 보다 풍성하고 유용하게 사용하는 방법들을 설명하였다.

멀티모달을 이용하면 단순히 텍스트로만 프롬프팅을 할 때와는 비교할 수 없을 만큼 만족스런 결과를 만들어 낼 수 있다. 내 주변에는 아직 인공지능을 알고만 있지 사용하지 않는 사람들이 더 많다. 나는 챗gpt가 세상에 나온 이후 지난 1년 동안 인공지능 관련 새로운 뉴스와 정보에 대해 계속 공부하면서 매주 글을 써오고 있다. 인공지능 학습에서 제일 중요한 것은 사용의 습관화이다. 그동안 챗gpt와 다른 생성형 인공지능 플랫폼들을 사용하면서 느낀 점은 수시로, 발 빠르게, 예고 없이 기능이 업그레이드된다는 것이다. 매일 식사를 하듯이 자주 들여다보지 않으면 새로운 기능을 놓치기 십상이다. 나는 주위 사람들에게 챗gpt 사용을 습과화 하라는 말을 자주한다. 한 번의 실천보다는 습관화가 더 중요하다.

◇◆◇◆◇
7장. 프롬프트 엔지니어링
왜 중요하나?

뻔뻔한 거짓말

할루시네이션 allucination,

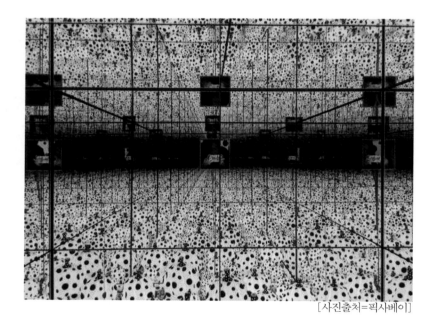

[사진출처=픽사베이]

2023년 4월말 유튜브에서 워싱턴대학의 최예진 교수가 TED에서 'Why AI Is Incredibly Smart and Shockingly Stupid? 왜 인공지능은 믿을 수 없을 정도로 똑똑하면서 충격적으로 멍청한가'라는 제목으로 강연을 한 것을 본적이 있다.

　많은 석학들이 인공지능 챗gpt가 출현한 이후 '올해의 1주일은 과거의 10년만큼 변화가 빠르다'는 말들로 우리의 머리를 강타한 바 있었기에 설마하는 마음으로 강연 이후 약 2개월이 지난 시점에서 유사한 질문을 챗gpt4.0에게 던져보았다.

　질문 : 옷 10벌을 햇볕에 말리는데 5시간이 걸린다. 옷 50벌을 말리는데 얼마나 걸릴까?

　챗gpt의 답 : 10벌을 건조하는 데 5시간이 걸린다면 건조율은 시간당 2벌이다. 50세트의 옷을 건조하는 데 걸리는 시간을 알아보려면 총 세트 수(50)를 속도(시간당 2세트)로 나눈다. 50세트 / 시간당 2세트 = 5시간. 따라서 건조 속도가 일정하다고 가정하면 의류 50벌을 건조하는 데 25시간이 소요된다.

　돌아오는 답은 여전히 멍청했다. 단순 계산으로는 맞는 것 같지만, 50벌을 한 번에 말리면 10벌을 말릴 때와 비슷한 시간이 걸린다는 것은 초등학생도 어렵지 않게 추론할 수 있기 때문이다. 하지만 마냥 멍청하지만은 않다는 결론도 보여주었다. 최교수가 12리터와 6리터 주전자로 6리터의 물을 측정하라고 했을 때는 12리터 주전자에 물을 담아 6리터 주전자에 옮겨 담으라는 멍청한 대답을 했지만 이번에는 정확히 처음부터 6리터 주전자를 사용하라고 답을 해주었다.

자전거를 타고 못과 나사, 깨진 유리가 매달린 다리 위를 지나가면 펑크가 날까? 라는 최교수가 했던 질문도 챗gpt4.0은 못, 나사, 깨진 유리가 다리 바닥이 아닌 위에 매달려 있으므로 펑크가 나지 않는다고 똑똑하게 대답을 했다. 혹시나 해서 같은 질문을 챗gpt3.5에게 해봤다. 역시 최교수가 얻었던 답처럼 두 가지의 질문에서 모두 멍청한 답을 내놓았다. 이처럼 챗gpt는 미국의 대학능력시험과 변호사시험도 우수한 실력으로 합격할 만큼 똑똑하기도 하지만 쉬운 질문에서는 전혀 엉뚱하거나 멍청한 답을 주기도 한다.

챗gpt 같은 AI 모델에서 할루시네이션Hallucination 말을 자주 사용한다. 이는 AI 모델이 훈련된 데이터나 현실에 근거하지 않은 출력을 생성하는 경우를 말한다. 여기에는 잘못된 주장, 존재하지 않는 사실 생성, 처리하는 정보의 맥락이나 의미를 오해하거나 잘못 표현하는 것이 포함되기도 한다. AI 모델은 광범위한 정보가 포함된 대규모 데이터 세트에 의해서 훈련된다.

그러나 훈련 데이터에 차이나 편향이 있는 경우 AI 모델이 특정 주제에 대해 포괄적이거나 균형 잡힌 이해를 하지 못하여 할루시네이션을 유발시킨다. 예를 들어 AI 모델에게 일어난 적이 없는 역사적 사건에 대해 질문하면 AI는 그 사건이 일어난 적이 없다는 것을 모르기 때문에 학습한 유사한 사건을 기반으로 그럴듯해 보이는 대답을 생성하기도 한다.

인공지능 할루시네이션으로 야기될 수 있는 위험성으로는 다음과 같은 것들이 예상된다.

첫째, 할루시네이션의 가장 명백한 위험은 잘못된 정보의 확산이다. AI 모델이 질문을 받고 부정확하거나 오해의 소지가 있는 답변을 '할루시네이션'하는 경우 실수로 사용자에게 잘못된 정보를 유포하여 오해로 이어질 수 있다.

둘째, AI 모델의 출력이 실제 행동이나 결정을 알리는 데 사용되는 경우 할루시네이션은 잠재적으로 해로운 결과를 초래할 수 있다. 예를 들어 의료, 재정 또는 안전이 중요한 상황에서 사용되는 경우 할루시네이션 출력으로 인해 잘못된 치료, 투자 또는 예방 조치가 취해질 수 있다.

셋째, 잦은 할루시네이션은 사용자가 AI 시스템에 가지고 있는 신뢰를 약화시킬 수 있다. 사용자가 정확하고 신뢰할 수 있는 출력을 제공하는 시스템을 신뢰할 수 없는 경우 시스템 사용을 완전히 중단할 수도 있다.

넷째, AI 할루시네이션은 시스템이 윤리적 또는 도덕적으로 의심스러운 콘텐츠를 생성하도록 유도할 수 있으며, 이는 공격적이고 유해할 수 있다.

이 같은 위험들은 단순한 염려에 끝나지 않을 것이라는 게 전문가들의 예측이다. 그들은 이미 '판도라의 상자가 열렸다'는 표현을 쓰기도 한다. 2023년 2월 24일 메타가 라마라는 인공지능 오픈소스를 공개하였다.

그러나 이 라마가 일주일 만에 대중에게 유출된 이후 스탠퍼드 대학에서 라마보다 뛰어난 기능의 알파카를 출시하였고, 그 후 GPU가 아니 맥북 CPU에서도 돌아가는 솔루션, gpt4.0과 유사한 비쿠나Vicina, GPT-4 All, 버클리의 코알라Koala, 오픈 어시스턴트의 챗GPT와 유사한 완전 개방형 RLHF(인간의 피드백을 통한 강화학습) 모델 출시가 봇물처럼 이루어 졌다. 라마가 공개된 이후 불과 2개월도 안된 시간 안에 일어난 일이었고, 또 2개월이 더 지난 현재는 확산 속도가 너무 빨라 상세한 내용을 파악하기도 힘든 지경이다.

이런 변화 속에서 할루시네이션의 위험을 막을 대책이 어느 때보다 시급한데 OpenAI, 구글, 마이크로소프트, 버클리대 등 많은 학계 및 산업계에서 연구하고 있는 방안 중 몇 가지를 정리하면 아래와 같다.

첫째, 할루시네이션의 가능성을 줄이기 위한 한 가지 접근 방식은 고품질의 다양하고 균형 잡힌 훈련 데이터를 사용하는 것이다. 이렇게 하면 모델이 다양한 주제와 시나리오에서 유효한 출력을 더 잘 이해하고 생성하는 데 도움이 될 수 있을 것이다.

둘째. AI 모델의 향후 반복에는 모델이 생성하는 정보를 추적하고 확인하는 더 나은 방법이 통합되어 교육 데이터에 기반을 두도록 할 수 있을 것이다.

셋째, 사용자가 할루시네이션을 보고하도록 권장하고 이 피드백을 사용하여 모델의 출력을 수정하는 것도 할루시네이션을 최소화하는 데 도움이 될 수 있을 것이다.

넷째, 팩트 확인 또는 검증 계층과 같은 추가 조사 계층을 모델의 출력에 적용하면 사용자에게 도달하기 전에 할루시네이션 출력을 식별하고 수정하는 데 도움이 될 수 있을 것이다.

다섯째, 현재 마이크로소프트의 BING에서 지원하는 것처럼 AI가 추론을 설명하거나 특정 출력에 어떻게 도달했는지 보여주는 방법을 개발하면 사용자가 잠재적인 할루시네이션을 이해하고 식별하는 데 도움이 될 수 있을 것이다.

거대 기업이라도 반드시 도덕적이라고 할 수 없지만 나쁜 의도를 가진 개인도 이제는 얼마든지 인공지능 솔루션으로 위험한 장난을 칠 수 있게 되었기 때문에 인공지능의 가져올 위험성에 대해 가능한 한 신속하게 대응할 필요가 있다.

사후 약방문이라 할지 모르겠지만 2023년 3월부터 EU에서 연내 처리를 목표로 '인공지능법'을 공론화하였다는 뉴스를 접했다. 로마 교황청과 미국에서도 이에 대한 대응 방안을 심각하게 논의하고 있다고 한다. 우리나라도 AI 관련 법안이 국회 과방위를 통과한 상태라고 하나 너무 원론적인 사항만 다뤄 염려가 많이 되기도 한다. 더 걱정스러운 것은 위험성을 앞세워 과거 드론 관련 법안처럼 오히려 AI 산업의 발전을 위축시키는 방향으로 흘러가지 않기를 희망해본다.

위 글은 2023년 초에 작성된 글이었다. 이 책을 편집하는 2024년 6월 시점에는 GPT-4o가 서비스되고 있어 현시점에서도 여전히 엉뚱한 답을 주는지 같은 질문을 던져보았다

챗gpt의 답 : 옷 10벌을 햇볕에 말리는데 5시간이 걸린다면, 옷 50벌을 말리는데 걸리는 시간을 계산하려면 몇 가지 가정을 해야 해. 모든 옷이 동일한 조건에서 같은 시간 동안 말라야 한다고 가정해 보자. 말리는 공간이 충분하여 한 번에 50벌을 모두 널 수 있다고 가정한다.

이 두 가지 가정을 전제로 계산해 보면, 옷이 10벌이든 50벌이든 한 번에 모두 널 수 있다면 말리는 시간은 동일하게 5시간이 될 거야. 그러나 만약 공간이 제한되어 있어서 한 번에 10벌씩밖에 널 수 없다면, 총 5번에 걸쳐서 널어야 하고, 따라서 총 5 * 5 = 25

시간이 걸릴 거야. 즉, 옷을 모두 한 번에 널 수 있는 충분한 공간
이 있다면 50벌을 말리는 데에도 5시간이 걸리고, 공간이 제한되어
한 번에 10벌씩만 널 수 있다면 총 25시간이 걸릴 거야.

　1년 사이에 챗gpt는 훨씬 똑똑해져서 이제는 일부러 할루시네이
션을 만들려고 해도 쉽사리 만들어지지 않는다. 하지만 여전히 사
용자의 의도와는 다른 오답을 내는 경우가 있으니 중요한 자료의
경우에는 교차 테스트가 필수적이다.

AI 사용의 강력한 무기 프롬프트 엔지니어링

[사진출처=챗gpt 프롬프트 엔지니어링]

챗gpt를 사용하면서 대부분의 사람들이 고민하는 것은 사용자가 의도하는 바를 정확히 이해하고 결과를 내어주는 챗gpt를 경험하고 싶어 한다는 것이다. 하지만 상대적으로 명확한 답이 있는 과학 분야와 코딩에 관련된 부분을 제외하고는 사용자가 원하는 수준에 100% 만족하는 답을 구하는 게 쉽지 않다는 것은 챗gpt를 경험한 사람들 대부분이 느끼는 감정일 것이다, 챗gpt는 단순한 질문에도 매우 대답을 잘한다, 그렇지만 그게 모두 정답이라고 할 수는 없다. 할루시네이션 즉 뻔뻔한 거짓말을 너무나도 당당하게 뱉어낸다.

끊임없이 진화하는 인공 지능 환경에서 AI 전문가들은 언어 모델의 기능을 향상시키는 데 상당한 진전을 이루었다. 위에서 언급한 할루시네이션을 피하고 제대로 된 답을 구하는 강력한 무기를 "프롬프트 엔지니어링 Prompt Engineering" 기술이라고 한다. 이 혁신적인 접근 방식을 통해 사용자는 챗gpt와 같은 AI 모델을 미세 조정하여 보다 정확하고 적절한 응답을 생성할 수 있다. 오늘 우리는 프롬프트 엔지니어링의 세계에 대해 자세히 알아보고 이 기술을 효과적으로 활용하여 탁월한 결과를 생성하는 방법을 고민해 보고자 한다.

프롬프트 엔지니어링은 언어 모델을 원하는 출력으로 안내하는 프롬프트 또는 지침을 전략적으로 구성하는 방법을 말한다. 잘 만들어진 프롬프트를 제공함으로써 사용자는 모델의 동작에 영향을 미치고 생성된 응답의 품질을 향상시킬 수 있다. 이 기술에는 올바른 문구 선택, 쿼리 구조화, 특정 정보 또는 응답을 유도하기 위한 특수 토큰 또는 지침 활용이 포함된다.

이를 위한 효과적이고 신속한 엔지니어링을 위한 핵심 전략은 다음과 같다

첫째, 명확하고 간결한 지침을 작성하는 것이 중요하다. 원하는 응답 형식이나 유형을 지정하여 모델에서 기대하는 바를 명확하게

전달한다. 예를 들어, 특정 역사적 사건과 관련된 주제의 경우 프롬프트를 다음과 같이 맞춤 설정할 수 있다. "[사건]의 원인과 당시 사회에 끼친 영향에 대해 자세히 설명하라. 관련된 역사적 증거로 답의 토대를 마련하라." 이와 같은 프롬프트는 모델이 해당 사건에 대한 상세한 결과를 제공하도록 유도하며, 역사적 맥락과 관련된 증거를 통해 결과를 뒷받침한다. 이를 통해 생성된 내용의 전반적인 품질을 향상시킨다.

둘째, 관련 내용을 프롬프트에 통합하면 모델이 보다 정확하고 상황을 인식하는 답변을 생성시켜준다. 또한 모델이 특정 어조를 사용하는 것과 같은 특정 지침을 준수하도록 제약 조건을 사용할 수 있다. 예를 들어, 정치에 관한 질문에 대한 답변을 생성하는 경우에는 다음과 같은 지시할 수 있다. "다음 문장을 완성하라. '최근 토론에서 [A] 문제에 대한 X 정당의 입장은 Y 정당과 대조적이었지만, 이러한 차이점에 대한 이해가 중요하다.

이 문제에 대한 의견과 함께 X 정당의 관련 정책을 간단히 설명하라.' 이 프롬프트를 통해 모델은 문맥을 이해하고 관련된 정보를 활용하여 더 정확하고 문맥에 맞는 답변을 생성할 수 있다. 또한, 특정한 음성 톤을 사용하도록 프롬프트에 "정책 설명은 공손하고 중립적인 톤으로 제공하라."와 같은 지침을 추가할 수 있다. 이렇게 하면 모델이 원하는 톤으로 응답을 생성하도록 유도할 수 있다.

셋째, 복잡한 프롬프트로 모델을 즉시 제시하는 대신 간단한 질문(Q&A)으로 시작하여 점차 더 많은 컨텍스트 또는 복잡성을 추가할 수 있다. 이 점진적 접근 방식은 모델이 작업의 의도를 더 잘 이해하고 더 정확한 결과를 제공하는 데 도움이 될 수 있다. 예를 들어, 주식 시장에 관한 정보를 모델에게 요청하는 경우, 다음과 같은 프롬프트 엔지니어링을 사용할 수 있다:

"현재 주식시장의 상황에 대해 알려 달라. 주요 지수의 최신 정보와 가장 큰 변동 요인을 간단히 설명하라." "최근 몇 주 동안 어떤 경향을 보였나? 주가 변동의 원인과 결과를 설명하라." "이번 분기에 어떤 분야가 성장했나? 그 이유와 영향을 설명하라."

이러한 점진적인 프롬프트는 모델이 초기 단계에서 간단한 질문에 대답하는 데 집중하고, 그 후에 추가적인 문맥과 복잡성을 점진적으로 제공하도록 유도한다.

넷째, 먼저 예시 응답을 보여줌으로써 모델은 이러한 예시에서 학습하고 자체 출력을 개선할 수 있다. 모델이 모범적인 답변을 생성하도록 요청하기 전에 몇 가지 잘 만들어진 답변을 제공하라. 예를 들어, 온라인 고객 서비스 챗봇을 개발하는 경우, 다음과 같은 프롬프트 엔지니어링을 사용할 수 있다.

"다음은 온라인 고객 서비스 챗봇이 받은 질문과 훌륭한 응답의 예시이다. 이 예시를 통해 모델이 어떻게 상황에 맞게 응답해야 하는지 배울 수 있다. 그런 다음 모델이 스스로 답변을 생성할 수 있도록 하라."

질문: "주문한 상품을 취소하고 싶습니다. 어떻게 해야 하나요?"

응답: "안녕하세요! 상품 취소를 도와드리겠습니다. 주문 번호와 취소 사유를 알려주시면 처리해드릴 수 있습니다."

이렇게 고품질의 예시를 제공하면 모델이 상황에 맞게 적절한 응답을 생성하도록 학습하게 되며, 이후에는 모델이 스스로 답변을 생성할 때 더 나은 품질의 결과를 얻을 수 있다.

다섯째, 실험과 개선은 가장 효과적인 프롬프트를 찾는 데 중요하다. 모델의 출력을 기반으로 지침을 반복하고 미세 조정하여 응답의 품질과 관련성을 점진적으로 개선한다. 예를 들어, 영화 추천 서비스와 같은 AI 시스템에 대한 프롬프트 프로세스는 다음과 같이 설명할 수 있다.

사용자가 로맨틱 코미디 추천을 요청한다고 가정해보자. AI는 보다 구체적인 결과를 위해 프롬프트를 단계적으로 최적화할 필요가 있다. 예를 들어 "로맨틱 코미디 장르의 최근 인기 영화 몇 편을 추천하라. 추천하는 영화의 특징과 이유를 자세히 설명하라." 그러면 AI의 응답은 각 권장 사항에 대한 추론에 대한 명확한 그림을 제공하여 추가 개선을 위한 귀중한 정보를 제공할 것이다.

마찬가지로 사용자가 액션 및 스릴러 장르에 대한 추천을 원하는 경우 그에 따라 프롬프트를 조정하여 AI에 특정 권장 사항 및 이유를 제공하도록 좀 더 세밀하게 요청할 수 있다. 이러면 점차 AI의 권장 사항을 개선하기 위해 출력을 재평가하고 쉽게 프롬프트를 반복적으로 다듬을 수 있게 된다.

프롬프트 엔지니어링은 강력한 도구가 될 수 있지만 항상 윤리적 사항과 잠재적인 편견을 염두에 두는 것도 중요하다. 편향된 프롬프트 또는 지침은 AI 모델의 편향된 결과로 이어질 수 있다. 따라서 프롬프트가 공정하고 편견이 없게 입력하는 것이 중요하다. 또한 생성된 콘텐츠를 반복적으로 모니터링하고 평가하는 것은 의도치 않은 편견이나 잘못된 정보를 식별하고 해결하는 데 필수적이다.

프롬프트 엔지니어링은 사용자가 AI 모델의 결과물을 형성할 수 있도록 지원하는 혁신적인 기술로 부상했다. 신중한 구성과 프롬프트의 미세 조정을 통해 사용자는 언어 모델의 잠재력을 최대한 활용하고 보다 정확하고 적절한 응답을 도출할 수 있다.

AI 분야가 점점 발전함에 따라 프롬프트 엔지니어링은 사용자가 특정 요구 사항을 효과적으로 충족하도록 AI 시스템을 맞춤화할 수 있는 필수 작업이 될 것이다. 이 기술을 책임감 있게 이용함으로써 우리는 AI의 힘을 활용하여 다양한 영역에서 긍정적인 변화와 혁신을 이끌어 갈 수 있다.

돈 버는 노코드 개발이 뜬다

[노코드 비즈니스 상상도]

　이번 글에서는 생성형 AI와 함께 요즘 각광받고 있는 노코드 개발 비즈니스에 대해 알아보고자 한다. 노코드 개발(No-Code Development)은 프로그래밍 언어의 복잡한 문법이나 코딩 지식 없이도 웹사이트, 애플리케이션, 프로세스, 데이터베이스 등을 개발할 수 있는 방식을 말한다. 이 개념은 비전문가나 개발자가 아닌 사람들도 소프트웨어를 직접 만들고, 비즈니스 요구사항에 맞게 빠르게 수정하고 반복할 수 있도록 도와준다.

노코드 개발은 드래그 앤 드롭 인터페이스, 사전 제작된 템플릿, 블록 기반의 로직 구성 등 사용자 친화적인 도구와 플랫폼을 활용한다. 이를 통해 사용자는 복잡한 코드를 직접 작성할 필요 없이 비주얼 인터페이스를 통해 소프트웨어를 구성하고, 기능을 추가할 수 있다.

노코드 개발의 주요 이점은 아래와 같다.

첫 번째, 개발 속도와 효율성 향상이다. 코딩 과정이 생략되므로, 개발 시간이 단축되고 빠른 시장 출시가 가능해진다.

두 번째, 접근성 향상이다. 코딩 지식이 없는 사람들도 자신의 아이디어를 실제 앱이나 웹사이트로 구현할 수 있습니다.

세 번째, 비용 절감이다, 전문 개발자나 외주 개발팀에 의존하지 않아도 되므로 개발 비용을 줄일 수 있다.

네 번째, 협업과 참여 증진이다. 비개발자도 개발 과정에 참여할 수 있어, 다양한 부서와 팀원들의 의견과 요구사항을 더 쉽게 반영할 수 있다.

이러한 노코드 개발 솔루션은 다양한 형태로 제공되며, 각각의 솔루션은 특정 목적이나 분야에 최적화되어 있다. 이러한 솔루션을 사용하면 웹사이트 구축, 애플리케이션 개발, 데이터베이스 관리, 자동화 프로세스 구축 등 다양한 작업을 수행할 수 있다. 노코드 개발에 사용되는 대표적인 주요 솔루션의 종류와 그 응용분야는 다음과 같다.

첫 번째, 웹사이트 및 블로그 구축 솔루션으로 Wix가 있다. 드래그 앤 드롭 기능을 제공하는 Wix는 사용자가 코딩 지식 없이도 맞춤형 웹사이트를 쉽게 구축할 수 있는 플랫폼이다. 소규모 비즈니스, 아티스트, 온라인 스토어 등 다양한 사용자가 자신의 웹사이트를 디자인하고 관리할 수 있다. 응용분야로는 소규모 레스토랑 같은 곳이 Wix를 사용하여 자신의 메뉴, 위치, 예약 시스템을 소개하는 웹사이트를 구축하고 이를 통해 온라인에서의 가시성을 높이고, 고객과의 소통을 강화할 수 있다.

두 번째, 애플리케이션 개발 솔루션에는 Bubble이 있다. Bubble은 복잡한 프로그래밍 없이도 웹 애플리케이션을 만들 수 있게 해주는 노코드 플랫폼이다. 사용자는 인터페이스 디자인, 사용자 인증, 데이터베이스 관리 등을 직관적인 인터페이스를 통해 구현할 수 있다. 소규모 스타트업의 경우 Bubble을 사용하여 사용자가 상품을 교환할 수 있는 온라인 마켓플레이스를 개발할 수 있다. 이 플랫폼으로 사용자는 자신의 상품을 업로드하고, 다른 사용자의 상품과 교환할 수 있는 기능을 제공할 수 있다.

세 번째, 데이터베이스 관리 솔루션 부분에는 Airtable이 있다. Airtable은 스프레드시트의 간편함과 데이터베이스의 강력한 기능을 결합한 플랫폼이다. 사용자는 데이터를 구조화하고, 프로젝트를 관리하며, 자동화된 워크플로우를 생성할 수 있다. 응용 분야는 비영리 조직 같은 단체에서 Airtable을 사용하여 자원봉사자 관리 데이터베이스를 구축할 수 있다. 이를 통해 자원봉사자의 정보, 활동 기록, 행사 일정 등을 쉽게 관리하고, 필요에 따라 자동화된 이메일 알림을 설정할 수 있다.

네 번째, 프로세스 자동화 솔루션에는 Zapier가 있다. Zapier는 다양한 웹 애플리케이션 간의 작업을 자동화할 수 있는 툴이다. 사용자는 코딩 없이 여러 애플리케이션을 연동하여 데이터를 자동으로 전송하거나, 특정 이벤트에 따른 작업을 설정할 수 있다. 예를 들어 티케팅 비즈니스 기업의 경우 이 Zapier를 사용하여 고객 지원 티켓 시스템과 이메일 마케팅 도구를 연동할 수 있다. 고객이 지원 티켓을 제출할 때마다, 해당 고객의 이메일이 마케팅 목록에 자동으로 추가되는 시스템을 구축할 수 있다.

이처럼 노코드 솔루션들은 기술적인 배경이 없는 사용자들도 자신의 아이디어를 실현하고, 비즈니스 프로세스를 효율화하는 데 큰 도움을 줄 수 있다. 사용자의 요구사항과 목표에 따라 적합한 플랫폼을 선택하고, 노코드 개발의 이점을 최대한 활용할 수도 있다.

하지만, 노코드 개발 방식이 모든 상황과 요구사항에 완벽한 해결책이 될 수는 없다. 복잡하고 맞춤화된 기능이 필요한 프로젝트의 경우, 전통적인 코딩 방식이나 로우코드(Low-Code) 개발 방식이 더 적합할 수 있다. 로우코드는 노코드와 비슷하지만, 필요에 따라 일부 코드 작성이 가능하다는 점에서 차이가 있다.

하지만 노코드 개발의 경우 위에서 언급한 많은 장점들이 있어 AI시대에 맞춰 노코드 개발 비즈니스 모델이 선보이고 있다. 프로그램 개발자가 아니더라고 아이디어만 있다면 코딩 없이 개발을 할 수 있는 세상이 왔다. 이 분야도 AI가 낳은 또 다른 금광이 될 수도 있다는 생각을 해본다.

불법 복제 이미지 이제 디지털 워터마크로 찾는다

[디지털 워터마크 상상도]

디지털 세계의 발전과 함께 인공지능(AI) 기술의 진보는 우리 일상에 깊숙이 자리 잡았다. AI가 만들어내는 콘텐츠는 놀라울 정도로 현실과 구분하기 어려운 수준에 이르렀고, 이로 인해 새로운 유형의 문제들이 대두되기 시작했다. 특히 생성형 AI 기술을 활용해 만들어진 이미지나 영상들이 사회적, 정치적 혼란을 야기할 수 있는 허위 정보로 사용될 가능성이 커지면서, 이를 어떻게 식별하고 관리할 것인가에 대한 논의가 다각적으로 이루어지고 있다.

오픈AI는 자사의 이미지 생성형 AI 도구인 '달리3'로 만든 이미지에 디지털 워터마크를 부착한다고 발표한 바 있다. 이는 생성된 이미지의 출처와 진위를 쉽게 파악할 수 있게 해주는 중요한 조치로, 눈에 보이지 않는 디지털 워터마크 기술을 통해 가능하다. 이 기술은 사진이나 동영상 등의 디지털 데이터에 저작권 정보나 기타 중요한 정보를 삽입할 수 있게 해주며, 특정 도구를 통해서만 확인할 수 있다.

이러한 워터마크 기술은 콘텐츠 출처 및 진위 확인을 위한 연합(C2PA)의 표준에 따라 개발되었다. C2PA는 마이크로소프트, 어도비, 인텔 등 여러 대형 기업들이 참여하고 있는 개방형 기술 표준으로, 디지털 콘텐츠의 출처와 진위성을 확인할 수 있는 방법을 제공한다. 이 표준은 특히 AI로 생성된 이미지나 비디오의 진위를 검증하는 데 중요한 역할을 한다.

AI 기술의 발달로 인해 우리는 더 이상 온라인에서 접하는 정보를 무조건적으로 신뢰할 수 없게 되었다. 특히 딥페이크 기술이 정치적 목적으로 악용되거나, 유명 인사들을 대상으로 한 음란 이미지 생성 등의 사례가 늘어나면서, 사회적으로 큰 우려가 제기되고 있다. 이러한 상황에서 생성형 AI 콘텐츠에 대한 규제의 필요성이 커지고 있다.

최근 미국에서는 생성형 인공지능(AI) 기능의 악용 사례가 잇따라 발생하고 있어 사회적 우려가 커지고 있다. 특히, 올해 진행될 미국 대선과 관련하여, 정치인들을 대상으로 한 딥페이크 영상이나 유명 팝 가수 테일러 스위프트를 모방한 부적절한 딥페이크 이미지 등이 SNS를 통해 빠르게 확산되고 있다. 이러한 현상은 딥페이크 기술이 얼마나 진보했는지를 보여주는 동시에, 그로 인해 발생할 수 있는 심각한 사회적, 윤리적 문제들을 드러내고 있다. 오픈AI도 이런 분위기를 의식해 생성형 AI 콘텐츠 규제를 발표한 셈이다.

오픈AI 뿐만 아니라 메타, 구글 등 다른 대형 기업들도 이러한 움직임에 동참하고 있다. 메타는 자사의 AI 도구로 만든 이미지에 '이매진드 위드 AI'라는 워터마크를 부착하겠다고 발표했으며, 구글 또한 AI 챗봇 'Gemini'에 이미지 생성 기능을 추가하면서 딥마인드의 워터마크를 적용한다고 밝혔다. 이러한 워터마크 부착 조치는 허위 정보의 유포나 위변조를 막기 위한 중요한 방법 중 하나로 여겨진다.

국내에서도 이러한 트렌드에 맞춰 AI로 생성한 콘텐츠 식별 문제에 대응하기 위한 움직임이 보이고 있다. 제페토와 같은 국내 플랫폼은 사용자들이 AI로 생성한 콘텐츠를 쉽게 식별할 수 있도록 워터마크 도입 정책을 마련하고 있다. 이는 사용자들이 제공받는 콘텐츠의 출처와 진위를 보다 명확히 이해하고, 신뢰할 수 있는 정보를 선별하는 데 도움이 된다.

이처럼 다양한 기업들이 책임감 있는 AI 활용을 위해 노력하는 것은 긍정적인 변화라고 할 수 있다. AI 기술이 가져오는 잠재적 위험을 인식하고, 이를 관리하기 위한 적극적인 조치를 취하는 것은 디지털 정보의 신뢰성을 유지하고, 오해와 조작으로 인한 사회적 혼란을 방지하는 데 매우 중요하다. 디지털 워터마크와 같은 기술적 해결책은 이러한 문제에 대응하기 위한 효과적인 수단 중 하나로, 앞으로도 이와 같은 기술의 발전과 적용은 계속될 것으로 보인다.

더 나아가, 이러한 움직임은 국내외를 막론하고 디지털 콘텐츠의 진위를 확인하고, 사용자들이 보다 안심하고 정보를 소비할 수 있는 환경을 조성하는 데 기여할 것이다. 누구나 예상하듯이 AI 기술의 발전은 멈추지 않을 것이기 때문에, 이에 따른 책임감 있는 사용과 관리는 더욱 중요해질 것이다. 우리 사회가 디지털 정보의 신뢰성을 유지하고, 허위 정보로 인한 해악을 최소화하기 위해서는 기술적, 법적, 윤리적 차원에서의 지속적인 노력이 필요하다.

프롬프트 엔지니어링 26가지 원칙

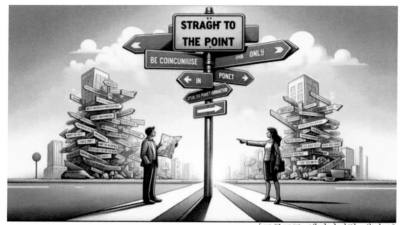

[프롬프트 엔지니어링 개념도]

2024년 초 아랍 에미리트 소재 '모하메드 빈 자예드 AI 대학교'에서 발간된 '원칙적인 지침만 있으면 LLaMA-1/2, GPT-3.5/4에 질문할 수 있습니다"라는 제목의 논문에서 프롬프트 엔지니어링에 대한 26가지 원칙을 발표하여 관련 전문가들의 관심을 폭발시켰다.

논문을 모두 번역하여 읽어 본 결과 그동안 내가 생성형 AI를 이용하면서 터득한 프롬프트 원칙과도 상당히 일치하는 부분이 많아 26가지 모든 원칙을 연작의 글로 다뤄보려고 한다.

우선 전체 목차를 먼저 정리하면 아래와 같다.

1. 본론만 말하기: 간결하고 직접적으로 요청을 표현한다.
2. 청중 설정: 의도한 청중을 명확히 정하고 질문한다.
3. 세분화: 복잡한 작업을 간단한 단계로 나누어 질문한다.
4. 긍정 지시문 사용: 부정문 대신 긍정문을 사용하여 요청한다.
5. 어린이 청자 설정: 어린 아이에게 설명하듯이 요청을 한다.
6. 팁 제공: 더 나은 답변을 위한 팁을 약속한다.
7. 예시 추가: 구체적인 예시를 제공한다.
8. 구분된 구성: 지시, 예시, 질문을 명확하게 구분한다.
9. 임무 설정: 명확한 임무나 목표를 제시한다.
10. 협박 사용: AI에게 불이익을 주겠다고 협박한다.
11. 인간적인 방식으로 대답하기: 자연스럽고 인간적인 방식으로 답변을 요구한다.
12. 단계별로 생각하기: 단계별로 문제를 해결하도록 요청한다.
13. 편견 제거 요청: 편향되지 않은 답변을 요구한다.
14. 질문시키기: 충분한 정보를 얻을 때까지 질문하도록 요청한다.
15. 테스트 추가: 테스트를 추가하여 답변의 정확성을 높입니다.
16. 역할 부여: AI에게 특정 역할을 부여한다.
17. 구분 기호 사용: 특정 단어나 구문을 강조한다.

18. 반복 사용: 중요한 단어를 반복하여 강조한다.

19. CoT와 예시 제공: 구체적인 예시를 통해 정보를 제공한다.

20. 출력 문구 지정: 원하는 출력 형식을 명시한다.

21. 필요한 모든 정보 추가: 필요한 모든 정보를 포함하도록 요청한다.

22. 텍스트 개선 요청: 주어진 텍스트를 개선하도록 요청한다.

23. 여러 파일 프로젝트 스크립트 요청: 여러 파일로 구성된 프로젝트를 위한 스크립트를 요청한다.

24. 제시어 기반 글쓰기: 특정 시작 문구를 기반으로 이어서 글을 쓰도록 요청한다.

25. 키워드 제시: 특정 키워드를 포함한 텍스트 생성을 요청한다.

26. 동일 언어 사용: 주어진 텍스트와 유사한 언어 스타일로 답변을 요청한다.

원칙 중 '팁을 준다. 거나 '협박을 한다. .같은 다소 엉뚱해 보이는 것도 있으나 최대한 논문의 내용에 따라서 실험을 해보고 결과를 분석해 보려고 한다.

실험 방법은 논문에서 챗gpt4가 가장 점수가 높았기 때문에 이것으로 원칙의 실험 방법과 유사하게 직접 프롬프팅해보면서 만족스런 결과가 나오는지 보려고 한다.

첫 번째, 본론만 말하기이다. 프롬프트에서는 '부탁합니다', '괜찮으시다면', '감사합니다', '그리고 싶습니다' 등과 같은 예의를 갖추는 말은 생략하고 바로 본론으로 들어가라는 것이다.

우선 예의를 갖춰 "괜찮으시다면 녹차의 효능에 대해 말씀해주시면 감사하겠습니다. 부탁드립니다."라고 프롬프트 해보았다. 결과는 아래와 같다.

녹차는 오랫동안 건강과 웰빙을 위한 음료로 사랑받아 왔습니다. 여러 연구를 통해 녹차가 가진 다양한 효능이 밝혀지고 있습니다. 녹차의 주요 효능에 대해 설명 드리겠습니다.

1. 항산화 제공: 녹차는 강력한 항산화제인 카테킨을 다량 함유하고 있습니다. 이 항산화제들은 세포 손상을 줄이고, 노화 과정을 늦추며, 여러 질병의 위험을 낮추는 데 도움을 줄 수 있습니다.

2. 심혈관 질환 위험 감소: 녹차는 심장 질환과 뇌졸중의 위험을 감소시킬 수 있습니다. 이는 녹차가 혈압을 낮추고, LDL(나쁜) 콜레스테롤 수치를 감소시키며, 혈관의 건강을 개선할 수 있기 때문입니다.

3. 체중 감소 및 지방 연소 촉진: 녹차에 함유된 카테킨과 카페인은 체중 감소에 도움을 줄 수 있습니다. 이 성분들은 신진대사를 증가시켜 더 많은 칼로리를 소모하게 하고, 지방 연소를 촉진할 수

있습니다.

4. 혈당 조절: 녹차는 혈당 수치를 조절하는 데 도움을 줄 수 있습니다. 이는 2형 당뇨병의 위험을 감소시킬 수 있으며, 이미 당뇨병이 있는 사람들에게도 유용할 수 있습니다.

5. 인지 기능 개선: 녹차는 뇌 건강을 개선하고 인지 기능을 증진시킬 수 있습니다. 카테킨과 카페인은 뇌의 기능을 향상시키며, 알츠하이머 및 파킨슨병 같은 특정 신경퇴행성 질환의 위험을 감소시킬 수 있습니다.

6. 구강 건강 개선: 녹차는 구강 내 박테리아의 성장을 억제하고, 입 냄새를 줄일 수 있습니다. 이는 구강 건강을 개선하는 데 도움이 될 수 있습니다.

7. 암 위험 감소: 일부 연구에서는 녹차가 특정 유형의 암 위험을 감소시킬 수 있음을 제시합니다. 특히, 유방암, 전립선암, 대장암 등에서 그 효과가 관찰되었습니다.

녹차의 이점을 최대화하기 위해서는 매일 일정량을 꾸준히 섭취하는 것이 중요합니다. 그러나 과다 섭취는 카페인 과다 섭취와 같은 부작용을 일으킬 수 있으므로 적절한 섭취량을 유지하는 것이 좋습니다. 개인의 건강 상태나 특정 건강 문제가 있는 경우, 녹차

섭취 전에 의사나 전문가와 상의하는 것이 바람직합니다.

이어서 격식을 차리지 않고 주제만 살려서 명령조롤 프롬프트를 해봤다. "녹차의 효능에 대해 설명하라." 이번에는 챗봇의 연결성이 없도록 새 창을 띄워서 프롬프트하였다. 이 방법은 앞으로 비교할 다른 원칙에도 똑같이 적용할 예정이다,

녹차는 전 세계적으로 사랑받는 음료 중 하나이며, 여러 건강상의 이점이 있다고 알려져 있습니다. 주요 효능은 다음과 같습니다.

1. 항산화 효과: 녹차에는 카테킨이라고 불리는 강력한 항산화제가 풍부하게 함유되어 있습니다. 이러한 항산화제는 세포 손상을 줄이고 노화 방지에 도움이 될 수 있습니다.

2. 심혈관 질환 위험 감소: 여러 연구에 따르면 녹차는 심혈관 질환의 위험을 줄일 수 있습니다. 녹차는 LDL(나쁜) 콜레스테롤을 낮추고, 전반적인 콜레스테롤 수치를 개선할 수 있습니다.

3. 체중 감량 지원: 녹차는 대사를 증진시키고 체지방 감소를 돕는 것으로 알려져 있습니다. 특히 복부 지방의 감소에 효과적일 수 있습니다.

4. 혈당 조절: 녹차는 인슐린 감수성을 향상시키고 혈당 수치를

조절하는 데 도움을 줄 수 있습니다. 이는 당뇨병 관리에 유익할 수 있습니다.

5. 뇌 기능 개선: 녹차에는 카페인과 아미노산인 L-테아닌이 함유되어 있어, 뇌 기능을 향상시키고 집중력을 높일 수 있습니다. 또한, 녹차는 알츠하이머 및 파킨슨병과 같은 신경 퇴행성 질환의 위험을 줄일 수 있습니다.

6. 구강 건강 개선: 녹차의 항균 특성은 구강 내 박테리아를 감소시키고, 나쁜 입 냄새를 줄이는 데 도움이 됩니다.

7. 암 예방: 여러 연구에서 녹차 섭취가 특정 유형의 암(예: 유방암, 전립선암, 대장암) 발생 위험을 감소시킬 수 있다는 것을 제안하고 있습니다. 그러나 이 주제에 대한 연구 결과는 일관되지 않으므로 더 많은 연구가 필요합니다.

녹차의 이점을 최대한 활용하기 위해서는 적절한 양을 섭취하는 것이 중요합니다. 과도한 카페인 섭취는 부작용을 초래할 수 있으므로, 하루에 녹차를 몇 잔 마실지는 개인의 카페인 감수성에 따라 다를 수 있습니다.

위 두 가지의 결과를 비교해보면 내용 상 거의 차이가 없다는 것을 알 수 있다. 그러므로 제1원칙이 말해주듯이 챗봇에게는 전혀 예의를 차릴 필요가 없이 본론을 바로 이야기하면 된다는 것이다.

생성형 AI를 사용하는 주목적 중 하나는 '생산성 향상'이다. 가능한 한 프롬프트에서 사족을 달지 말고 바로 본론만 말하는 습관을 들이자.

위 글은 26가지 프롬프트 원칙 중 제 1원칙 "본론만 말하기"에 대해 쓴 내 칼럼이다. 이 원칙들에 대해서는 아직도 "한국강사신문"에 연작으로 칼럼을 쓰고 있으므로 칼럼이 끝나는 시점에서 추가로 편집하여 가제 " 프롬프트 엔지니어링 황금 키"라는 제목으로 출간을 할 계획이다. 생성형 인공지능을 사용하면서 필수적인 프롬프트에 대해 실제 사례를 분석 비교 하고 타 논문 자료들도 추가하여 알찬 내용으로 내어 놓을 예정이다.

에필로그

내 첫 책 "나는 시니어 인플루언서디"가 출간 된 이후 인공지능 관련 칼럼을 쓰고 강의도 하면서 주위로부터 "인공지능"에 대한 책을 쓰라는 권유를 여러 차례 받았다. 하지만 사업을 하면서 1주일에 한편씩 칼럼을 쓰는 것조차도 벅찬데 수시로 새로운 기술로 업데이트 되는 AI에 대해 책을 쓴다는 게 결코 쉽지는 않았다.

게다가 오랜 기간 버킷리스트에만 올려놓고 미루고 있다가 올해 초부터 도전을 시작한 전기 국가 자격시험의 합격까지 빠듯한 일정 때문에 책 쓰기는 계속 지연되고 있었다.

캠핑을 가서 아내와 대화를 하다가 그동안 집필해온 칼럼의 내용들이 나름 괜찮으니 우선 그 글들을 현 시점에 맞게 편집하여 책으로 출간해도 좋겠다는 조언을 들었다. 그 말이 계기가 되고 더 늦어지면 칼럼의 시의성이 떨어져 출간이 어려울 수 있겠다는 약간의 강박감 속에서 서둘러 이 책을 만들 수 있었다.

칼럼 글들을 편집하다보니 시간의 한계성 때문에 내용을 충분하지 보강하지 못하고 마무리 한 탓에 내용이 다소 어수선한 면도 없진 않다. 하지만 이 작업 또한 그간 AI를 공부한 나의 기록이고 내가 지닌 얇은 지식이나마 나름대로 충실하게 정리한 글이니 독자들보다 나에게 더 의미가 있는 작업이었다고 위안을 삼는다.

인공지능에 대해 글을 쓰거나 강의를 하면서 가장 많이 강조한 것이 '계획보다는 실천, 실천보다는 습관'이라는 내 좌우명이었다. 강의 후 일정 기간 뒤에 피드백을 받아보면 많은 이들이 강의를 들은 그 때만 잠시 관심을 기울이다가 다시 멀리하게 되었다는 말을 많이 들었다. 대부분의 사람들이 반복적인 업무나 생활을 살다보니 인공지능을 모르고 사용하지 않는다 해도 크게 불편하지 않기 때문이다.

대기업의 임원으로 은퇴한 친구가 연락이 와서 개인적으로 AI에 대해 컨설팅을 해달고 한 적이 있었다. 그 친구는 40대 초반에 실무에서 손을 놓고 관리자와 임원으로 지내다 보니 대부분의 업무가 부하 직원들이 기획하고 작성한 파일들을 보고만 받는 것이었다. 퇴직 후 인생 2회차 삶을 위해 외국계 소규모 스타트업의 지사장이 되어 업무를 보다보니 사소한 일까지 스스로 챙겨야 하는 입장이 되었다. 우연히 내 온라인 강의를 듣고 나서 AI야말로 자신의 능력을 수십 배 향상시킬 수 있다는 생각이 들었다고 한다.

컨설팅을 통해서 평소 업무 생산성 향상, 전문 문서 번역, 해외 출장 시 일정 계획 수립, 외국 바이어들과 미팅 시 실시간 통역 등 인공지능을 이용하여 효율적으로 관리 할 수 있는 것을 직접 예시를 들어 설명해 주었다. 이후 업무나 해외 출장에서의 스트레스가 한층 해소되었다는 말을 전해 듣고 뿌듯한 성취감이 든 적이 있었다.

주위에서 나를 평가할 때 항상 새로운 것을 탐구하는 사람으로 기억해 주는 사람들이 많다. 나는 이것을 훈장처럼 여기고 하늘에서 부르는 날까지 책을 보며 공부하다 생을 마감하고 싶다.

이 책을 평생 새신랑처럼 사랑스런 눈길로 바라봐주는 아내 도연과 판박이처럼 나와 무척 닮은 딸 지은, 그리고 항상 든든한 응원군이 되어주는 아들 익재에게 바친다.

행복은 결과가 아니라 과정에서 온다